D1584245

planethood

ou

les citoyens du monde

La clé pour réaliser la paix et l'abondance planétaires pour
tous dès aujourd'hui.

Benjamin B. Ferencz

En collaboration avec
Ken Keyes, Jr.

Préface de
Robert Muller

Traduction
Annie Marquier-Dumont

Les Éditions Universelles du Verseau

Toute vérité passe à travers trois étapes.

Elle est tout d'abord ridiculisée.

Ensuite elle est violemment contestée.

Finalement, elle est acceptée comme évidente.

Arthur Schopenhauer

Ne doutez jamais qu'un petit groupe de citoyens réfléchis et déterminés puisse changer le monde. En fait, c'est la seule chose qui ait jamais pu le faire.

Margaret Mead

**Notre droit fondamental
en tant qu'être humain!**

PROCLAMATION!

**Je déclare
solennellement que :
J'ai le droit de vivre
dans un monde de paix,
exempt de tout danger
de mort provoquée par
une guerre nucléaire.**

Puisque aujourd'hui toute personne dans le monde est menacée par les engins de guerre nucléaire,

NOUS, LES HABITANTS DE CETTE PLANÈTE,

devons rapidement exiger le respect de notre droit fondamental en tant qu'être humain, rendant ainsi possible le respect de tous nos autres droits et la réalisation de tous nos buts.

«Chaque canon fabriqué, chaque navire de guerre mis à flot, chaque fusée lancée représente en dernière analyse un vol commis au préjudice de ceux qui ont faim et ne sont pas nourris, de ceux qui ont froid et ne sont pas vêtus. Ce monde ne gaspille pas seulement de l'argent par les armes, il gaspille aussi la sueur de ses travailleurs, le génie de ses savants, l'espoir de ses enfants.» 1953

«J'aime à croire qu'à long terme, les individus vont faire plus pour promouvoir la paix que ne le feront les gouvernements. A vrai dire, je pense que les gens désirent tellement la paix qu'un jour les gouvernements se verront obligés de leur laisser le champ libre pour leur permettre de la réaliser eux-mêmes.» 1959

Dwight D. Eisenhower,
Président des États-Unis.

Nous ne pouvons que réussir.

Puisque notre avenir et la vie de notre famille peuvent dépendre de la rapidité avec laquelle la **loi de la force** est remplacée par la **force de la loi**, l'auteur a choisi de ne faire aucun profit sur ce livre et nous avons fait notre possible pour rendre ce livre disponible à un prix minimum. Nous avons réorganisé nos priorités afin de faire notre part pour éviter une fin tragique à la grande aventure de la vie humaine sur cette planète.

Nous vous encourageons à acheter de nombreux exemplaires de ce livre et à en faire cadeau à vos amis. Vous pouvez reproduire librement des parties de ce livre, en en mentionnant la source, et l'utiliser de toutes les manières possibles. Nous espérons qu'il continuera à être traduit dans d'autres langues, afin que tous sur la terre puissent entendre la bonne nouvelle : **Il existe un moyen sûr et réaliste d'arrêter le massacre absurde provoqué par les guerres qui affligent sans cesse notre monde. Une paix permanente et une abondance sans précédent sur toute la planète, c'est possible maintenant!**

Les Éditions Universelles du Verseau
C.P. 1074
Knowlton (Québec)
Canada
JOE 1V0
Tél. : (514) 243-0090

Ce livre présente
la seule façon
d'assurer le respect de
notre droit fondamental
en tant qu'être humain
pour nous
et nos familles.

Nous ne sommes pas
impuissants.

La situation
n'est pas
désespérée.

Cela dépend
de chacun de nous!

Je tiens à remercier ici toutes les personnes qui m'ont offert leur assistance pour la réalisation de cette version française de PLANETHOOD, et plus particulièrement Julie Nantel et Réjeanne Nault pour leur soutien constant et efficace dans le travail de recherche, de vérification et de transcription sur ordinateur.

D'un commun accord avec les auteurs, nous avons choisi de conserver le titre «PlanetHood», qui sera également conservé dans les autres langues, et qui pourrait ainsi devenir un mot planétaire (et non plus celui d'une langue particulière), symbole de l'unité de la grande famille humaine.

ANNIE MARQUIER-DUMONT

Conception, illustration et page couverture : Mardigrafe inc.
Séparation de couleurs : Vic Couleurs Inc.

© 1989 Les Éditions Universelles du Verseau
Dépôt légal : Bibliothèque nationale du Québec, 2e trimestre 1989
ISBN 2-9800843-2-8

*À Emery et Wendy Reves
qui ont contribué si remarquablement
à la cause de la paix dans le monde.*

Table des matières

AVANT-PROPOS

Il y a deux mille ans un être extraordinaire est venu sur notre planète nous apporter le message fondamental dont avaient besoin tous les hommes pour créer leur propre bonheur, leur propre paradis : «Aimez-vous les uns les autres.» Le message ne fut pas vraiment entendu alors, et l'on s'en servit souvent plus pour séparer que pour réunir. En cette fin du XXe siècle pourtant, nous avons la possibilité de faire en sorte que ce message se concrétise sur la terre.

Amour veut dire premièrement respect : respect des différences, respect des besoins, respect de l'autre dans sa totalité. Amour veut aussi dire partage et un sens profond de l'unité de tous les être humains. Amour veut dire relation saine où chacun peut être gagnant. Amour veut dire communication claire dans le respect, la confiance et la reconnaissance du privilège d'être en relation. Mais le mot amour a été tellement galvaudé que l'on ne veut, parfois, même plus en entendre parler. Nous n'en parlerons donc pas plus, mais nous allons le mettre concrètement en action dans notre vie personnelle et collective.

PlanetHood est un livre d'action concrète. Ce merveilleux petit livre nous donne le moyen de construire dès maintenant la paix et l'abondance sur la planète .

Dans mon livre *Le Défi de l'humanité* publié en 1987, je démontrais comment il était urgent de prendre conscience de nos propres comportements psychologiques. Si la pollution et la guerre sont générées à l'extérieur, c'est parce que collectivement l'humanité porte cette guerre et cette pollution à l'intérieur de sa conscience et de ses structures psychologiques. Par un travail approprié d'éducation philosophique et psychologique de la conscience, permettant à un certain nombre de personnes de passer d'un niveau de conscience inférieur nourri par la peur, l'égoïsme, l'étroitesse d'esprit, la haine, l'arrogance, le fanatisme, l'irresponsabilité, etc. à un niveau de fonctionnement de conscience éveillé, engendré par l'intelligence (intelligence du cœur aussi bien que de l'esprit), l'amour inconditionnel, le discernement, la maîtrise des émotions, la coopération, le respect, etc., on peut réaliser un changement psychologique de base suffisamment intense pour que les propositions de réorganisation de l'humanité soient entendues, acceptées, soutenues et mises en application.

Une fois ceci réalisé et le travail d'éducation psychologique entrepris afin de créer une source d'action à la fois efficace et harmonieuse, il restait à savoir plus précisément comment organiser concrètement ce monde. *PlanetHood* nous donne une merveilleuse réponse, merveilleuse parce qu'elle est simple dans son essence, parce qu'elle s'appuie sur des connaissances et une expérience profonde de la question, parce qu'elle est parfaitement applicable dès maintenant, parce qu'elle a déjà été testée et qu'elle marche!

Les Éditions Universelles du Verseau et moi-même sommes très heureuses de présenter au public francophone ce livre, suite remarquable et pratique au *Défi de l'Humanité,* et de donner ainsi rapidement à tous la possibilité et le privilège de contribuer activement et efficacement à la construction de la paix et de l'abondance sur la planète.

Car c'est le dernier point important : ce livre nous concerne tous. Le sort de la planète est entre nos mains. Nous sommes les seuls, nous tous habitants conscients de cette planète, à pouvoir faire quelque chose pour nous sauver nous-mêmes et sauver le monde. Les gouvernements suivront. Mais comment agir? En huit points ce livre nous l'explique très clairement. A nous de jouer!

ANNIE MARQUIER-DUMONT
Auteure du livre *Le Défi de l'Humanité*

Préface à l'édition française

Si UNE commission divine ou sidérale d'experts en administration planétaire visitait notre Terre, ils n'en croiraient pas leurs yeux. Ils s'exclameraient : «Mais vous êtes insensés! Ce n'est pas une manière d'administrer une planète! Nous vous donnons la pire note en gestion planétaire de tout l'univers.» Nous les regarderions avec surprise, étonnés de la violence de leur attaque. Ils ajouteraient avec gentillesse et pitié :

«Mais enfin, réfléchissez donc. On vous donne une des plus belles planètes de l'univers, l'une des rares demeures spatiales dotées de merveilleuses formes de vie, à la bonne distance de son soleil, avec une atmosphère, des sols fertiles, des eaux et des mers, une planète vivante, vibrante, interdépendante, dont tous les éléments sont merveilleusement liés, un vrai joyau dans l'univers. Et tout ce que vous faites est :

1. diviser cette planète en cent cinquante-neuf parcelles territoriales sans queue ni tête, sans logique géographique, ni écologique, ni humaine, ni autre, toutes souveraines, c'est-à-dire chacune se considérant plus importante que la Terre et l'humanité entières;

2. armer ces morceaux planétaires jusqu'aux dents afin de défendre leur soi-disant «intégrité» et parfois pour voler un morceau de territoire au voisin;

3. laisser deux des morceaux les plus puissants de ce puzzle truffer la surface et l'intérieur des terres, les eaux, les mers, les airs et demain le ciel et les étoiles d'engins nucléaires capables d'annihiler en quelques instants toute vie planétaire;

4. dépenser des sommes folles pour chacun de ces morceaux territoriaux et presque rien pour la sauvegarde et les besoins de la planète entière (Vous n'avez même pas de budget mondial! C'est aberrant!);

5. laisser certains de vos savants, industriels, développeurs, constructeurs, promoteurs, marchands et militaires détruire progressivement les ressources fondamentales de votre planète au point que d'ici quelques décennies elle deviendra invivable et que vous mourrez comme des mouches;

6. éduquer vos enfants, unités cosmiques nouvelles, comme si chacun de ces territoires était une île flottant sur un océan, au lieu de leur enseigner la planète et les cieux comme étant leur demeure et l'humanité comme étant leur famille.»

Et ils auraient encore bien d'autres griefs à formuler : les écarts entre les riches et les pauvres, entre les suralimentés et les affamés, la violence sous tant de formes, les drogues, l'empoisonnement radioactif et chimique de la planète, la violation étatique des droits humains, les réfugiés, les torturés, les enfants abandonnés, les sans-abris, l'absence de philosophie de vie, d'éthique et de moralité planétaire, le racisme, les mensonges médiatiques et gouvernementaux, une jeunesse sans idéal, les monopoles abusifs, les lobbys, notre imagination sans bornes pour nous doter de toutes les vertus et à dénigrer et diviser les autres nations et groupes, etc.

Nous trouverions beaucoup d'arguments pour nous défendre : notre histoire bien compliquée, faite de meurtres, de conquêtes, de rapines, d'invasions, de guerres et de mariages; la découverte toute récente, il y a cinq cents ans à peine, que nous sommes un globe tournant autour de son soleil et non pas le contraire; la première image de notre planète ramenée de notre lune; le caractère récent de notre âge planétaire; l'absence de données globales jusqu'à l'avènement des Nations Unies et de ses institutions spécialisées; notre inexpérience totale en administration planétaire; l'absence de précédents; la nouveauté des crises, des gageures et des problèmes globaux face auxquels nous agissons comme de petits enfants qui n'apprennent qu'en se brûlant les doigts; une première organisation mondiale faible, incomprise, véritable goutte d'eau et bouc émissaire subordonnée à ses membres qui monopolisent toutes les ressources fiscales de la planète; la persistance de valeurs et d'idéologies surannées; la multiplicité de langues, de cultures, de croyances et de religions qui nous ont été léguées par notre passé, etc.

Les extra-planétaires nous répondraient :

«Bon, vous avez des circonstances atténuantes dues à votre histoire et à votre lente évolution. Mais cela a assez duré. Nous sommes en 1989, bicentenaire de la Révolution française. Vous allez mettre un peu de révolution et d'ordre dans tout cela. Vous avez jusqu'à l'an 2000, l'entrée dans votre troisième millénaire. Asseyez-vous. Réfléchissez. Réunissez vos meilleurs esprits. Consultez vos populations. Et mettez au point un meilleur système de gestion planétaire. Pour votre bonheur, il existe un bon nombre d'excellents projets à cet effet. Le dernier en date, contenu dans le livre *PlanetHood* de Ben Ferencz et Ken Keyes, nous paraît être un bon point de départ. Ce livre pose en effet la question fondamentale suivante :

«Quel serait le sort des États-Unis si chacun de ses cinquante États était souverain, possédait une armée, un président, des Affaires étrangères, un hymne national, un drapeau national, des fêtes nationales, le pouvoir exclusif de frapper d'impôts ses habitants, et que les États-Unis seraient une sorte de Nations Unies sans souveraineté, sans pouvoir législatif, exécutif, judiciaire et fiscal? Vous vous exclameriez : ce serait un chaos indescriptible! Eh bien, c'est exactement le cas de votre planète déchiquetée en 159 morceaux!

«Nous reviendrons dans onze ans, lors de votre célébration du Bimillénaire, et nous espérons que d'ici là vous aurez mis au point un vrai régime politique et administratif planétaire. Ne perdez pas de temps. Ayez de l'audace. Ne vous arrêtez pas à des croyances surannées soigneusement cultivées par les pouvoirs et les bénéficiaires du désordre actuel. Vous êtes à la veille de désastres nucléaires, écologiques et climatiques potentiels majeurs. Que Dieu vous garde, vous bénisse et vous guide. Après tout, vous êtes nos frères. Que la lumière se fasse enfin sur votre merveilleuse petite planète tournoyant fidèlement autour de son soleil dans le vaste univers. Et sachez bien que cette planète n'a pas été créée pour vous mais que vous avez été créés pour prendre bon soin d'elle.»

ROBERT MULLER
Ancien Sous-Secrétaire Général de l'ONU
Chancelier de l'Université pour la Paix

Préface

La grande nouvelle!
par Ken Keyes, Jr.

EN 1982, j'ai écrit un livre intitulé *The Hundredth Monkey*. Mon but était de faire prendre conscience au monde entier de la catastrophe nucléaire qui nous menace tous actuellement. Il y a maintenant plus d'un million d'exemplaires de ce livre qui ont été imprimés partout dans le monde; il a été publié en norvégien, en hollandais, en suédois, en russe, en allemand, en danois, en japonais, en espagnol et en espéranto. Nous savons

> *Une famille mondiale de plusieurs milliards d'individus vivant sur une petite planète au sein d'un univers insondable et d'un courant éternel de vie, voilà le challenge du gouvernement planétaire de demain.*
>
> Robert Muller
> Ancien Sous-Secrétaire général
> de l'ONU
> Chancelier de l'Université
> pour la Paix
> Auteur de *A Planet of Hope*

tous que l'armement nucléaire représente aujourd'hui un énorme danger pour le monde entier. Mais que pouvons-nous y faire?

Pour moi, *PlanetHood* est une suite à *The Hundredth Monkey*. *PlanetHood* présente le seul moyen sûr que je connaisse d'assurer à nos enfants un avenir à long terme sur notre planète. Il ne s'agit pas d'une utopie alimentant de faux espoirs, ou d'un plan qui n'ait jamais été mis à l'épreuve et qui dépende de l'état d'esprit de suffisamment de gens soudainement motivés par l'amitié et la bonne volonté, ou bien par la peur et la panique. Ce moyen est basé sur la façon tout à fait réaliste mise au point par les Pères Fondateurs des États-Unis de régler les conflits *par la loi*, plutôt que *par l'utilisation d'armes meurtrières*. Ces techniques fondamentales ont fait leurs preuves par le passé. Et, comme vous allez le constater, beaucoup de pays, durant les quarante dernières années, ont accéléré leur évolution dans cette direction.

> *Le triomphe même des techniques scientifiques d'annihilation a détruit la possibilité qu'une guerre soit un moyen pratique de résolution des conflits internationaux... Si vous perdez, vous êtes anéantis. Si vous gagnez, ce n'est que pour mieux perdre. La guerre contient en elle-même un double suicide... Les alliances militaires, l'équilibre du pouvoir, les associations de nations, tout cela a échoué... C'est notre dernière chance. Si, d'une façon ou d'une autre, nous n'instaurons pas un système plus large et plus équitable, alors Armagedon sera à notre porte.*
>
> Douglas MacArthur
> Général de l'armée américaine

PlanetHood propose un *plan pratique* en vue de l'établissement d'une paix et d'une prospérité durables pour le XXIe siècle. Ce livre remarquable présente huit étapes efficaces que vous pouvez commencer à réaliser immédiatement, afin d'apporter une nouvelle dimension d'abondance à votre vie et à celle des autres. Ces étapes vous aideront à jouer votre rôle dans ce *mouvement fondamental* qui est maintenant prêt à prendre de l'ampleur. Un tel mouvement peut permettre aux habitants de cette planète de se libérer de l'obligation de dépenser un million et demi de dollars par minute pour des machines de guerre!

Voici un manuel simple et dont l'application est accessible à tous. Votre avenir et votre bien-être sont trop importants pour les confier à quelqu'un d'autre. Il est temps d'abandonner l'espoir que les autres feront le travail pour vous. Et vous pourrez faire en sorte que votre vie compte comme celle de l'un des Pères Fondateurs, ou l'une des Mères Fondatrices, d'un nouvel ordre mondial assurant la paix en permanence et l'abondance sur notre planète.

Introduction

Pourquoi j'ai écrit ce livre
par Benjamin B. Ferencz

TOUS LES êtres humains ont le droit de vivre dans la paix et la dignité, quelles que soient leur race, leur religion, ou leurs idées politiques. Une brève présentation de ma vie montrera comment j'en suis arrivé à cette conclusion, et pourquoi j'ai écrit ce livre.

De la Transylvanie à «La Cuisine de l'enfer»

Je suis né dans une petite ferme primitive située dans un village isolé des Carpates en Transylvanie. Peu de gens savent où cela se trouve. Pour la plupart, cela évoque des images de forêts sombres et de monstres sanguinaires, et cela est le point de départ de beaucoup de légendes. Avant la Première Guerre mondiale, la Transylvanie faisait partie de l'empire austro-hongrois. Pour des raisons inconnues, mon père portait le même nom que l'empereur, Ferencz Jozsef (François Joseph). Malheureusement, la similitude commençait et s'arrêtait là. Ma famille était noble seulement d'esprit. Quand les Hongrois cédèrent certaines parties de la Transylvanie à la Roumanie, ma famille, craignant un accroissement de la persécution des minorités juives, décida de chercher la sécurité et la fortune ailleurs. J'avais dix mois lorsque, en 1921, par une froide journée de janvier, nous embarquâmes pour «le pays magique aux possibilités illimitées», l'Amérique.

Nous arrivâmes à New York sans un sou, et nous sortîmes de nos rêves d'abondance pour faire face à la même dure réalité qui attendait des millions d'immigrants. Comme nous ne parlions pas l'anglais et n'avions aucune compétence particulière, la vie ne fut pas facile pour nous. Mes souvenirs les plus lointains sont ceux d'un petit appartement au sous-sol dans le quartier de Manhattan surnommé, de façon très appropriée, «La Cuisine de l'enfer». Cependant, même dans les temps les plus durs, cela ne faisait aucun doute pour nous que vivre en Amérique constituait une immense amélioration par rapport à tous les autres endroits que nous connaissions.

> *RENDONS-NOUS EFFICACES ET UTILES POUR L'AVANCEMENT DE LA CAUSE DE LA PAIX, DE LA JUSTICE ET DE LA LIBERTÉ DANS LE MONDE.*
>
> Inscription sur un portail de la bibliothèque de la Faculté de droit de l'université Harvard.

J'ai passé la majorité de mes jeunes années dans le système scolaire public de New York. Comme j'étais trop petit pour participer à la plupart des sports, je passais le plus clair de mon temps libre à la bibliothèque. Je me rappelle aussi que le dimanche j'allais à la «Société new-yorkaise pour la culture éthique» (New York Society for Ethical Culture), écouter des sermons promouvant la fraternité. Même très jeune, je ressentais déjà un ardent intérêt pour la fraternité universelle et la paix dans le monde.

Je fus inscrit dans un collège offrant un programme d'études accéléré. Ces études me permirent d'obtenir une bourse pour le New York City College. Ce fut un jour de grande fierté pour ma famille lorsque, quatre ans plus tard, j'obtins un diplôme en sciences sociales.

Ma seule ambition durant ces premières années était de devenir avocat. Je me considérai donc comme très privilégié lorsque je fus admis à la faculté de droit de l'université Harvard. Je me débrouillai pour gagner une bourse et je réussis à subvenir à mes besoins en travaillant comme serveur, en donnant des leçons particulières, et en faisant des recherches pour l'un de mes professeurs, un criminologue important qui écrivait un livre sur les crimes de guerre. Grâce à lui, j'acquis une expérience spécifique qui devait exercer une influence profonde dans ma vie par la suite.

Des plages de la Normandie à l'enfer de Dachau

Lorsque les États-Unis entrèrent dans la Deuxième Guerre mondiale, l'armée n'avait pas vraiment besoin d'hommes de loi. Après avoir reçu mon diplôme de Harvard en 1943, je fus enrôlé dans un bataillon d'artillerie anti-aérienne préparant l'invasion de la France. Je retournai sur mon continent natal, mais pas dans les meilleures conditions. En Normandie, je plongeai dans la mer à «Omaha Beach» et je fus reçu par la marée d'un monde en guerre. Enrôlé dans l'armée sous le commandement du général Patton, je participai à toutes les campagnes d'Europe.

> *Le rêve d'un monde uni contre les terribles désastres de la guerre est... profondément ancré dans le cœur de tous les hommes.*
>
> Woodrow Wilson
> Président des États-Unis
> S'adressant à la Société des Nations

En dépit de tous les périls et de toutes les épreuves, je ne réalisai pleinement les horreurs de cette guerre que lorsque nous commençâmes à découvrir des preuves d'atrocités nazies. Je fus bientôt muté dans une nouvelle section de l'armée affectée aux crimes de guerre, afin de recueillir les preuves de la brutalité nazie et d'appréhender les criminels. Ce ne fut qu'à ce moment-là que mes connaissances spéciales concernant la législation relative aux crimes de guerre furent mises à contribution.

Ce fut une tâche sinistre. Dans le cadre de mes fonctions je devais exhumer des corps de jeunes aviateurs américains qui avaient sauté en parachute ou dont l'avion s'était écrasé, et qui avaient été battus à mort par des meutes d'Allemands enragés ou assassinés par les agents locaux de la Gestapo. Ceci, pourtant, n'était qu'une simple initiation aux horreurs à venir. Ce ne fut que lorsque je rejoignis les troupes américaines avançant vers les camps de concentration allemands que je réalisai toute l'étendue de la terreur nazie.

Les scènes dont j'ai été témoin lors de la libération de ces centres de mort et de destruction resteront à tout jamais gravées dans ma mémoire. Des camps comme Buchenwald, Mauthausen et Dachau sont très fortement imprimés dans mon esprit. Même maintenant, lorsque je ferme les yeux, j'ai devant moi des visions de mort que je ne pourrai jamais oublier : les fours crématoires embrasés par le feu des chairs en train de flamber, les monceaux de corps émaciés empilés comme des bûches de bois attendant d'être brûlées. *Mais surtout, je n'oublierai jamais la terrible odeur des corps en train de brûler ou de se décomposer.*

Il était souvent impossible de dire si les détenus squelettiques gisant à moitié nus dans la poussière étaient vivants ou morts. Ceux qui étaient en état de marcher avaient été entraînés par les gardes SS en panique. Le seul signe de leur fuite : la file de cadavres jonchant le bord de la route. Les prisonniers couverts de boue qui ne pouvaient pas maintenir l'allure étaient abattus sur-le-champ et laissés là, morts ou mourant. J'ai aidé à découvrir beaucoup de fosses communes où des victimes innocentes avaient été massacrées.

> *Chérissons nos diversités culturelles et folkloriques, mais sans laisser ces différences devenir la source et les instruments de haines, de discordes et de guerres.*
> Robert Muller
> Ancien Sous-Secrétaire général
> de l'ONU
> Chancelier de l'Université
> pour la Paix
> *What War Taught Me About Peace*

J'avais découvert l'enfer. *J'avais vu les effets terriblement brutaux de l'inhumanité des hommes envers les hommes.* Au fur et à mesure que j'avançais dans mon sinistre travail, je me sentais gagné par une torpeur silencieuse. C'était comme si mon esprit avait construit un mur émotionnel de protection pour éviter que je ne devienne fou. Il n'y eut ni larmes, ni cris de vengeance. *Mais les jours rieurs de mon enfance avaient disparu à jamais.*

Le plus grand procès criminel de l'histoire

Le lendemain de Noël 1945, je fus libéré de l'armée américaine avec le rang de sergent d'infanterie. Je retournai alors à New York et me préparai à mon métier d'avocat. Peu de temps après, je reçus un télégramme m'invitant à venir au Pentagone, à Washington. Là, je rencontrai le colonel «Mickey» Marcus, un brillant diplômé de l'académie militaire de West Point qui avait été procureur à New York. Il recrutait des avocats pour le procès de Nuremberg contre les crimes de guerre.

Le procès contre Goering et d'autres dirigeants nazis avait déjà commencé. Il me pressa de retourner en Allemagne en tant que procureur civil pour les États-Unis, m'offrant, pour la circonstance, le titre de colonel. Je joignis l'état-major du colonel (et plus tard général) Telford Taylor, un avocat promu de l'école de Harvard possédant une expérience remarquable en droit. Les États-Unis avaient décidé de poursuivre un grand nombre de criminels nazis une fois terminé le procès de Goering et de ses acolytes. Taylor devait être le Chef du Conseil pour une douzaine de procès subséquents à Nuremberg, procès qui devaient être préparés d'urgence.

> Aussi forte que soit la conviction morale d'un groupe quant à la justesse de sa religion ou de son idéologie particulière, il devrait, dans son intérêt, fonctionner au sein d'un système légal et politique orienté vers l'ordre et la justice universellement accepté par tous.
>
> Quincy Wright, 1962
> Professeur de droit international
> Université de Chicago

Taylor m'envoya à Berlin avec une cinquantaine de chercheurs pour fouiller les bureaux et les archives nazis. Personne ne pouvait être accusé sans une preuve de culpabilité personnelle au-delà de tout doute raisonnable. Les documents que nous découvririons là devaient servir à constituer la base des procès contre des médecins, des avocats, des juges, des généraux et des industriels allemands et contre d'autres personnes qui avaient également joué un rôle important dans l'organisation ou la perpétration des brutalités nazies.

Un jour, l'un de nos investigateurs fut stupéfié par la découverte d'un certain nombre de dossiers cachés dans la cave du quartier général de la Gestapo, qui avait été détruit par un incendie. Il s'agissait de rapports ultra-secrets recensant le nombre de personnes massacrées par les escouades spéciales d'extermination SS appelées *Einsatzgruppen*.

> *Les accusés sur les bancs étaient de cruels bourreaux dont les actes de terreur remplissent les pages les plus noires de l'histoire de l'humanité. La mort fut leur outil, et la vie leur jouet. Si ces hommes devaient être acquittés, alors la loi aurait perdu tout son sens et l'homme ne pourrait plus vivre que dans la peur.*
>
> Benjamin B. Ferencz
> Discours d'ouverture, Procès
> d'Einsatzgruppen
> Nuremberg, 1947

Leurs crimes étaient atroces. Sans aucune pitié ni aucun remord, ces escouades SS de la mort tuèrent tous les hommes, toutes les femmes et tous les enfants juifs sur lesquels ils purent mettre la main. Les tziganes, les fonctionnaires communistes et les intellectuels soviétiques subirent le même sort. *Je recensai plus d'un million de personnes assassinées délibérément par ces «groupes d'action» spéciaux.* La découverte de cette cruauté sans bornes exigeait que justice soit faite. Je m'envolai pour Nuremberg avec les preuves, et les présentai au général Taylor à qui revenait la responsabilité finale des poursuites.

Nous avions en main la preuve écrasante du génocide nazi. Le général reconnut immédiatement l'énorme importance de ces documents et l'impact qu'ils pourraient avoir.

Nous nous jurâmes de ne pas laisser ces assassins de masse échapper à leur jugement. La cause me fut confiée. Je devins le Procureur en Chef pour les États-Unis dans ce que l'Associated Press a appelé «le plus grand procès criminel de l'histoire». Vingt-deux accusés furent inculpés du meurtre de plus d'un million de personnes. Je n'avais que vingt-sept ans. C'était ma première cause.

> *Nous lançons un appel d'êtres humains à êtres humains : Rappelez-vous votre humanité, et oubliez le reste.*
>
> Albert Einstein
> Dernière déclaration publique, 1955

Quelle sentence pouvais-je réellement demander à la cour pour de tels crimes? Quel rapport peut-on faire entre les vies de vingt-deux Allemands coupables et l'atrocité de leurs crimes contre l'humanité? Il semblait que les pendre tous n'était pas suffisant. La signification de ces poursuites devait avoir un impact sur l'avenir. La race humaine dans sa totalité devait être protégée de la conduite anarchique des tyrans.

«Avec tout le respect que je dois à Vos Honneurs», dis-je au moment de m'adresser au tribunal, «c'est avec tristesse et aussi avec espoir que nous divulguons ici le massacre délibéré de plus d'un million d'hommes, de femmes et d'enfants innocents et sans défense. Voilà le tragique résultat d'un programme d'intolérance et d'arrogance. La vengeance n'est pas notre but, et nous ne nous contenterons pas non plus de chercher simplement un juste châtiment. *Nous demandons à ce tribunal de soutenir par une action pénale internationale le droit de tout être humain de vivre en paix et dans la dignité, quelles que soient sa race ou ses croyances. La cause que nous présentons est celle de la défense de l'humanité par la loi.»*

A la fin du procès qui dura un an et demi, tous les accusés furent jugés coupables. Treize furent condamnés à mort. Le verdict fut salué comme un grand succès pour les plaignants. Mon premier objectif avait été d'établir *un précédent légal qui encouragerait désormais la construction d'un monde plus humain et plus sécuritaire.*

Même si beaucoup d'atrocités nazies furent exécutées par de véritables sadiques ou criminels de métier, ceux qui conçurent et dirigèrent les programmes d'extermination étaient tout à fait différents. Je fus choqué d'apprendre que presque tous étaient des hommes cultivés qui semblaient tout à fait normaux. Ils aimaient leur famille, étaient bons envers les chiens et les chats, appréciaient la musique de Wagner et pouvaient citer des poèmes de Goethe. D'ailleurs, beaucoup d'entre eux, j'ai honte de le dire, étaient des hommes de loi.

Maintenant encore, lorsque je jette un regard en arrière sur ce sombre chapitre de l'histoire humaine, je suis stupéfié par l'absence complète de remords avec laquelle ces fonctionnaires du massacre à grande échelle semblent avoir opéré. Il n'y avait pratiquement aucune trace de regret, alors que la négation de la vérité, l'apitoiement sur soi et les fausses accusations contre les autres étaient pratiques courantes. Je compris bientôt que si quelqu'un part de la conviction erronée qu'une personne est inférieure à cause de sa race, de ses opinions ou de ses croyances, alors l'extermination de cette personne semble logique et même souhaitable.

> *Jamais les nations du monde n'ont eu autant à perdre ni autant à gagner. Ensemble nous sauverons notre planète ou ensemble nous périrons dans les flammes. Sauver la planète nous le pouvons, et la sauver nous le devons; alors nous mériterons la gratitude éternelle de l'humanité et, en tant que bâtisseurs de paix, la bénédiction éternelle de Dieu.*
>
> John F. Kennedy
> Président des États-Unis

Nuremberg m'apprit que la construction d'un monde de tolérance et de compassion serait une tâche longue et ardue. Et j'appris aussi que si nous ne nous consacrons pas au développement efficace d'un système de droit international, la même mentalité de cruauté qui rendit cet holocauste possible pourrait bien un jour détruire la race humaine dans sa totalité.

Le dédommagement des victimes de Hitler

Il y a beaucoup d'étapes dans ce processus que nous appelons la justice; punir le coupable n'en est qu'une. La réhabilitation des victimes est une tâche plus longue et peut-être plus importante. Une fois que les procès furent terminés, je restai en Allemagne pour retrouver les biens volés à ceux qui avaient été assassinés. Les survivants de la persécution nazie devaient être les bénéficiaires des biens qui pouvaient être récupérés. Un réseau de bureaux fut organisé à travers le monde entier pour assister les survivants dans leurs réclamations et organiser les compensations. Je participai à des négociations dont le résultat fut la création de nouvelles lois allemandes en faveur de ces victimes.

> *Nous avons compris le mystère de l'atome et rejeté le Sermon sur la Montagne. Notre monde est un monde de géants au niveau nucléaire et d'enfants au niveau éthique. Nous en savons plus sur les moyens de tuer que sur les moyens de vivre.*
>
> Omar Bradley
> Général de l'armée américaine

Mon but était de rendre justice à l'aide de la loi et de rendre la vie plus tolérable à ceux qui étaient sortis des camps de concentration avec pour tout bagage leurs blessures, leurs mutilations et leurs amers souvenirs. Travailler avec les survivants ne fit qu'augmenter ma détermination à faire tout ce que je pourrais pour que de telles tragédies ne puissent jamais se reproduire.

Je retournai à New York en 1956, rejoignis mon ancien chef, Telford Taylor, et devins son associé dans un cabinet d'avocats. En plus d'avoir été collègues à Nuremberg, nous avions un autre lien plutôt spécial. En effet, au cours d'un après-midi pluvieux de l'année 1948, nous avions dû affronter la mort ensemble. Nos femmes et nous avions été obligés de sauter en parachute d'un avion qui allait s'écraser sur les ruines de Berlin. Nous étions des «survivants» à notre façon, ce qui, je crois bien, ne fit qu'augmenter ma sympathie envers ceux qui avaient survécu aux horreurs des persécutions de Hitler.

La guerre était finie, certains criminels nazis avaient comparu en justice, mais la marque indélébile de la violence restait là, imprimée profondément dans l'âme de millions d'innocents. Des organisations juives m'offrirent de modestes droits de rétention pour que je continue à travailler pour eux sur le problème des restitutions. Je représentai aussi des églises de plusieurs confessions qui avaient perdu les biens de leurs missions à l'étranger pendant la guerre. Ce que je trouvai le plus satisfaisant cependant, ce fut l'occasion qui m'était donnée de faire avancer le système de lois internationales et de défendre les droits fondamentaux des personnes dans le besoin, ou de celles qui avaient été privées de justice.

L'aide aux «cobayes» humains

Un plan pour venir en aide aux femmes catholiques polonaises victimes des expériences médicales nazies fut lancé par une New-Yorkaise pieuse et dévouée. Caroline Ferriday soumit tout d'abord l'idée à Norman Cousins, alors éditeur du magazine très coté *Saturday Review of Literature,* aujourd'hui président de la World Federalist Association, et l'un des militants les plus passionnés et les plus articulés de la campagne pour un Gouvernement Fédéral Mondial.

En 1955, Cousins avait organisé la venue aux États-Unis de quelques jeunes Japonaises de Hiroshima. Elles avaient été défigurées par la première bombe atomique lancée par les États-Unis sur leur pays. Des spécialistes américains en chirurgie esthétique travaillèrent à faire disparaître certaines de leurs cicatrices. Cette assistance humanitaire aux «Jeunes filles de Hiroshima» fut largement appréciée comme un geste de réconciliation et de repentir. Miss Ferriday demanda à Cousins de faire quelque chose de semblable pour les femmes polonaises qui, lors de leur détention dans le camp de concentration de Ravensbrück, avaient été utilisées comme cobayes humains par des médecins allemands. Cousins promit d'essayer.

Un petit comité fut formé, et on me demanda d'agir comme conseiller juridique. Je dirigeai mes efforts vers l'obtention de réparations par le gouvernement allemand. Celui-ci n'avait pas de relations diplomatiques avec la Pologne, et les ressortissants de la Pologne n'étaient pas inclus dans l'application des lois allemandes pour les indemnisations. Avec grande difficulté, le cabinet allemand finit par accepter de faire une exception. Les paiements effectués par la République Fédérale firent une énorme différence dans la vie de ces femmes polonaises qui furent bien étonnées de les recevoir.

Ceux qui avaient été forcés de travailler comme esclaves pour Hitler devinrent les bénéficiaires surpris de revenus provenant de quelques-unes des principales entreprises allemandes. Je raconte toute l'histoire dans mon livre *Less Than Slaves* (Moins que des Esclaves), publié par Harvard University Press. Je conclus que la tentative délibérée de tuer les gens à force de les faire travailler n'avait été rendue possible que par l'indifférence humaine face à la souffrance des autres. L'édition allemande fut l'objet d'un documentaire télévisé qui eut un impact significatif sur la nouvelle génération. Je fus heureux de constater que certains jeunes Allemands avaient le courage de parler haut et fort en faveur d'une société plus humaine.

La plume contre l'épée

En 1970, alors que les États-Unis s'enlisaient de plus en plus dans le bourbier de la guerre du Vietnam, mon esprit se tourna naturellement vers *le besoin de paix dans le monde.* Plus de cinquante mille jeunes Américains laissèrent leur vie dans cette guerre que l'on faisait pour des raisons qu'une bonne partie de la population américaine n'approuvait pas. Comme cela se fait dans toutes les guerres, les combattants des deux côtés s'accusaient mutuellement d'agression et de crimes contre l'humanité. Après une sérieuse réflexion, je décidai de me retirer graduellement de ma pratique privée de juriste et de consacrer mes efforts à étudier et à écrire à propos de la paix dans le monde.

La vraie loyauté n'implique pas l'obéissance aveugle. «Mon pays, envers et contre tous»... ces mots sont une porte ouverte à la déchéance nationale. Comme les Allemands l'ont appris avec Hitler, cela peut être la recette pour un véritable désastre. La citoyenneté et le vrai patriotisme impliquent le devoir de soutenir son pays lorsque ses actions sont justes, et de l'aider à retrouver le droit chemin quand il commence à s'égarer. J'étais décidé à essayer de rendre mon pays d'adoption plus réceptif aux besoins et aux aspirations de tous ses citoyens, afin qu'il puisse continuer à être une inspiration permanente pour les autres peuples du monde.

Des livres pour la paix

Mon livre, *Defining International Aggression. The Search for World Peace,* fut publié en 1975. Il me semblait que cela n'avait aucun sens de dénoncer l'agression, le terrorisme et d'autres crimes contre l'humanité sans que ces délits ne soient enregistrés par un code criminel international reconnu et soutenu par une Cour internationale. J'écrivis un autre document : *An International Criminal Court. A Step Toward World Peace,* qui fut publié en 1980. Il devait servir d'outil pour les nations désirant construire une structure qui pourrait assurer la paix dans le monde.

> *La tâche fondamentale de notre temps est de développer un nouveau système d'ordre international basé sur des principes de paix et de justice.*
>
> Richard Falk, 1983
> Professeur de droit, université de Princeton

Alors que j'étais encore à Harvard, j'avais étudié la jurisprudence avec le professeur Roscoe Pound, l'un des juristes les plus érudits du monde. Au fond de moi restait présent son sage enseignement. Il croyait qu'*aucun régime ne peut être considéré comme légitime s'il ne possède pas les trois éléments suivants : des lois, des tribunaux et un système de mise en application des lois.* Pour compléter cette trilogie, il me restait à étudier le problème de mise en vigueur des lois. Je retournai donc aux bibliothèques et aux réunions des Nations Unies.

Au troisième sous-sol de l'édifice de l'ONU à New York se trouvent les archives de la Société des Nations. Il y a là des milliers de livres qui traitent de la guerre et de la paix. J'obtins la clé des salles où ces trésors étaient entreposés. Durant de longs jours et de longues nuits, je restai là, seul, sondant la sagesse de nombreux érudits *qui avaient consacré leur travail au plus grave problème qui obsède encore l'humanité.* Le résultat de mes recherches fut l'objet d'une autre publication en deux volumes, *Enforcing International Law. A Way to World Peace,* parue en 1983.

Mes livres étaient destinés principalement aux bibliothèques universitaires, aux fonctionnaires du gouvernement, aux professeurs de droit et de sciences politiques, et à toutes les personnes appelées à prendre des décisions politiques dans les divers pays. Ces six volumes contiennent les détails et les documents démontrant qu'à l'aube du XXIe siècle, il est non seulement nécessaire mais possible d'instaurer un système de législation international, des tribunaux mondiaux et un système de mise en application efficace des lois au niveau mondial. Afin de propager ces idées au sein d'un public plus large, j'ai condensé l'essence de ma pensée dans un petit livre de poche bon marché, *A Common Sense Guide to World Peace.* Le titre me fut inspiré par ce grand patriote que fut Tom Paine, dont le pamphlet *Common Sense* avait inspiré la révolution américaine. Le 25 octobre 1985, j'envoyai les premiers exemplaires du livre au Président Reagan et au Secrétaire général de l'Union soviétique, M. Gorbatchev.

Tout comme Tom Paine, *j'espérais que mes écrits pourraient servir les intérêts de l'humanité.* Mon petit livre sur la paix mondiale fut respectueusement dédicacé de la façon suivante :

Aux dirigeants des États-Unis et de l'Union soviétique qui auront le courage et la sagesse de dépasser leurs peurs et de réconcilier leurs différences, de façon que tous ceux qui demeurent sur cette planète puissent vivre ensemble dans la paix et la dignité, quelles que soient leur race ou leurs croyances.

Lorsque les deux principaux dirigeants du monde se recontrèrent au Sommet de Washigton D.C. en décembre 1987, ils furent capables de signer une entente permettant la destruction de toutes les armes nucléaires de moyenne portée, ce qui réduisit l'arsenal nucléaire de quatre pour cent. Ils parlèrent d'un monde sans armements nucléaires pour l'avenir. Ils avaient enfin commencé «à dépasser leurs peurs et à réconcilier leurs différences».

Cependant, les dirigeants politiques ne peuvent pas œuvrer dans le vide. Ils ont besoin d'être soutenus et aiguillonnés par un public informé. Les gens doivent être éduqués et encouragés à réclamer un système mondial garantissant la paix et l'abondance pour tous. Ce livre a été écrit pour aider tous les êtres humains à avancer rapidement vers la réalisation de ce but suprême.

Ire étape

Exiger la reconnaissance de notre droit fondamental en tant qu'être humain

Ire étape

Exiger le respect de notre droit fondamental

IL ÉTAIT une fois, nous raconte une vieille légende grecque, un bon gars appelé Damoclès. Il était assis devant une table chargée de toutes sortes de mets délicats, et se préparait à jouir de ce magnifique festin. Tout était parfait, à l'exception d'une seule chose. Au-dessus de sa tête était suspendue une épée retenue par un seul cheveu! Damoclès, AUJOURD'HUI, C'EST VOUS ET MOI!

Nous vivons dans un monde offrant à beaucoup d'entre nous des conditions de vie très confortables, inaccessibles même pour un roi des temps passés — télévision, air climatisé, automobile, soins de santé, etc.

Et pourtant, nous limitons énormément notre prospérité et mettons notre avenir gravement en danger par la façon même dont nous faisons fonctionner la planète actuellement, *dépensant par exemple un million et demi de dollars par minute* pour la construction de machines de guerre. Selon un numéro de la revue *The Defense Monitor* publié en 1987, «les dépenses en préparatifs de guerre ont coûté aux États-Unis deux milliards de dollars depuis 1981. Cela représentait une dépense de vingt et un mille dollars par famille américaine».

A l'aube du XXIe siècle, il est incroyable et terrifiant à la fois de constater que nous possédons un nombre de plus en plus grand de bonnes choses, au-delà de tout ce que nous avons dans le passé (accès à plus de liberté, de sécurité, d'éducation, de confort matériel, de loisirs, pour ne citer que quelques exemples) et qu'en même temps une épée de Damoclès est suspendue au-dessus de nos têtes par un seul cheveu. En effet, nous pouvons mourir à chaque instant dans une guerre nucléaire déclenchée soit par accident, soit délibérément par un fanatique.

> *Notre monde est incroyablement sain et vigoureux, et en même temps terriblement malade. L'extraordinaire expansion économique des quinze dernières années... peut faire espérer un progrès et un bien-être sans précédent. La maladie qui, maintenant, peut détruire tout être et toute chose sur cette planète provient uniquement de nos institutions politiques qui sont totalement dépassées et en contradiction flagrante avec les réalités économiques et technologiques actuelles.*
>
> Emery Reves
> *Anatomie de la Paix*

PlanetHood est un manuel d'instruction personnel. On y présente clairement comment chacun peut accéder, pour soi-même et pour sa famille, à une paix assurée en permanence et à une prospérité sans précédent. Ce livre présente en huit étapes ce que l'on peut commencer à faire dès maintenant pour créer un monde doté d'un avenir magnifique.

En effet, pour faire face aux difficultés et aux dangers de la situation nucléaire actuelle (ainsi qu'aux autres dangers que court la planète), *PlanetHood* présente une solution remarquable et accessible dès maintenant. Oui, il existe un moyen clair, précis et efficace de débarrasser à tout jamais cette planète des fléaux de la guerre et de la pénurie!!! De plus la solution présentée dans ce livre a été mise à l'épreuve pendant deux cents ans, et elle marche!

L'anarchie internationale

Nous vivons aujourd'hui dans un état grandissant d'anarchie au niveau international. La plupart des nations s'équipent lourdement de toute la machinerie de guerre qu'elles peuvent se permettre — *ou ne peuvent pas se permettre*. Actuellement, cinq pays reconnaissent posséder des armes nucléaires (les États-Unis, l'Union soviétique, l'Angleterre, la France et la Chine), et cinquante-deux pays possèdent des centres de recherche nucléaire. Charles Ebinger du Center for Strategic and International Studies de l'université de Georgetown déclarait récemment : «C'est probablement le problème le plus ardu que j'aie jamais eu à affronter. Ni moi, ni personne ne semble pouvoir proposer de solution.»

Les militaires américains ont construit une bombe nucléaire portative pesant seulement vingt-neuf kilogrammes. Les données nécessaires pour construire une bombe nucléaire sont connues partout dans le monde. Voulez-vous que vos enfants vivent dans un monde dans lequel un seul «terroriste» ou «combattant pour la liberté» peut tuer plus de monde en une heure que ne pouvait le faire toute une armée par le passé?

Le Dr Yevgeny I. Chazov, sous-ministre soviétique de la santé et cardiologue responsable des dirigeants au Kremlin, demande instamment avec nous : «Nous devons préserver la vie sur la terre. Nous devons lutter pour assurer la survie de nos enfants et de nos petits-enfants.

> J'ai la profonde conviction que le système mondial actuel formé de nations souveraines ne peut mener qu'à la barbarie, à la guerre, à la violence et à la cruauté.
> Albert Einstein

Les gens de toutes les tendances politiques, de toutes religions et nationalités doivent presser leurs gouvernements de porter leur attention non pas sur les étapes à franchir pour remporter une victoire dans une guerre nucléaire, mais plutôt sur ce qu'il faut faire pour que les flammes d'une telle guerre ne brûlent jamais plus sur notre planète.» En tant que médecin (avec le Dr Bernard Lown, Prix Nobel de la Paix et cofondateur de l'Association Internationale des Médecins pour la Prévention de la Guerre Nucléaire), le Dr Chazov demande : «Vous venez nous voir pour que nous sauvions vos enfants. Pourquoi restez-vous indifférents lorsque nous vous demandons de nous aider à sauver l'humanité?»

Selon l'ancien contre-amiral de la marine américaine, Gene R. LaRocque, «il est très important pour nous tous aujourd'hui de réaliser que l'Union soviétique n'est pas notre ennemie. La guerre nucléaire est notre ennemie. Nous allons devoir apprendre à vivre avec les Russes, ou bien les Russes et nous, allons mourir ensemble*.»

Pour résumer notre situation incroyablement difficile, nous rappellerons que les États-Unis et l'Union soviétique dépensent à elles seules un total de plus de cinq cents milliards de dollars par an pour l'armement. Il existe plus de cinquante mille dispositifs nucléaires sur la terre, avec une capacité explosive de quinze à vingt mille millions de tonnes de TNT. Comme la population mondiale dépasse à peine cinq milliards d'individus, cela donne une moyenne de TROIS à QUATRE TONNES de TNT prêtes à tuer chaque homme, chaque femme et chaque enfant sur terre!

> *Le plus gros des armes nucléaires est concentré en Union soviétique et aux États-Unis. Dix ou même un pour cent de leur potentiel suffirait à infliger des dommages irréparables à notre planète...*
>
> *Ce constat implique que les Américains et nous, nous assumions la plus grande responsabilité à l'égard des nations du monde. Nos deux pays et nos deux peuples, ainsi que leurs hommes politiques, ont cette responsabilité unique, particulière, devant toute la civilisation humaine.*
>
> Mikhaïl Gorbatchev
> Secrétaire général de l'URSS
> *Perestroïka : Vues neuves sur notre pays et le monde*

Le désarmement, à lui seul, n'est pas la solution

Comme bien d'autres pacifistes partout dans le monde, nous accueillons favorablement le traité relatif aux armes nucléaires de moyenne portée signé par Reagan et

---

*Le contre-amiral LaRocque est le directeur du Center for Defense Information, 1500 Massachusetts Avenue, N.W., Washington D.C., tél : (202) DEFENSE. Vous pouvez vous adresser au Centre pour obtenir un exemplaire de son périodique d'information : *The Defense Monitor.*

Gorbatchev en décembre 1987. Sous réserve de l'approbation du Sénat américain, il permet une réduction de *quatre pour cent* de l'arsenal nucléaire mortel possédé par les deux nations. C'est certainement un premier pas important en vue de mettre fin à la course aux armements. *Cependant nous ne devons pas nous laisser bercer par l'illusion que nous pouvons construire la paix et la sécurité dans le monde simplement par le processus du désarmement.*

Le désarmement n'affecte que quelques-uns des *symptômes* du cancer de la guerre : la machinerie meurtrière. Cela ne permet en aucune façon de se débarrasser du cancer lui-même, à savoir le règlement des conflits par la guerre. Ce cancer va finir par nous tuer tous si nous ne faisons rien pour l'enrayer. Nous ne devons pas nous laisser endormir dans la confiance illusoire que le désarmement en lui-même va résoudre, tout seul, le problème de la guerre.

La plupart d'entre nous sommes ravis que toute une classe d'armes nucléaires de moyenne portée soit en voie d'être supprimée des arsenaux d'au moins deux nations. Cependant, aussi longtemps que les généraux et les amiraux du Pentagone et du Kremlin auront comme responsabilité de protéger leur pays par des moyens militaires, *nous serons toujours pris dans le système de la guerre.* Avez-vous entendu parler d'une quelconque proposition du gouvernement américain visant à réduire le budget militaire de quatre pour

> *A moins qu'un gouvernement supra-national efficace ne soit installé et se mette rapidement en action, les chances de paix et de progrès humain sont faibles et douteuses.*
>
> Winston Churchill
> Premier Ministre britannique

cent, étant donné que la suppression des missiles à moyenne portée réduit l'armement nucléaire de quatre pour cent? Bien au contraire! Le Pentagone s'est empressé de demander une augmentation du budget pour l'armement conventionnel. Même si nous réduisons notre armement de cinquante pour cent, il ne fait aucun doute que les planificateurs militaires demanderont un budget encore plus élevé pour tuer des gens d'autres pays par d'autres moyens. Nous pensons encore en termes étroits de nationalisme. **Nous devons commencer à penser en termes planétaires si nous voulons vivre en paix sur la terre.**

Supposons que toutes les armes nucléaires soient supprimées sur la terre entière par un désarmement à cent pour cent par chacune des cent cinquante-neuf nations du monde. *L'humanité ne serait pas sauvée pour autant.* La technologie meurtrière d'aujourd'hui, sans compter les armes nucléaires, *est beaucoup plus dangereuse et mortelle* que tout ce qui a été utilisé durant la Deuxième Guerre mondiale avant Hiroshima et Nagasaki. Les êtres humains, avec toute leur ingéniosité, ne cessent de découvrir des moyens de moins en moins chers pour tuer les gens d'autres nations quand ils ne sont pas d'accord avec eux. Au moins seize nations possèdent déjà ce que la revue *Time* a appelé «la bombe atomique du pauvre». Aujourd'hui les gaz neurotoxiques peuvent causer de la fièvre et des vomissements incontrôlables suivis de paralysie et de mort par asphyxie. Selon l'«American Chemical Association», le Pentagone possède déjà une quantité suffisante de gaz neuro-toxiques pour tuer cinq mille fois la population de la terre. Le Kremlin peut certainement concurrencer les États-Unis dans ce genre d'activité.

> *La fission de l'atome a tout changé, excepté notre façon de penser, c'est pourquoi nous nous dirigeons vers une catastrophe sans précédent.*
>
> Albert Einstein

Mais soyons super-optimistes, et supposons que le miracle du désarmement se produise. Supposons que toutes les nations sur terre se dépouillent complètement de toutes leurs armes, *nucléaires et conventionnelles,* et que celles-ci soient totalement détruites d'ici la fin du siècle. La sécurité de l'humanité sera-t-elle alors vraiment assurée? Non! L'information technologique qui permet de construire des machines de guerre efficaces ne peut pas être détruite. Quand les personnes qui auront réussi à réaliser cet hypothétique désarmement miraculeux *ne seront plus au pouvoir,* des politiciens de moins bonne volonté (ou plus assoiffés de pouvoir) pourront facilement reprendre la course aux armements. C'est ce que fit Hitler. Si une seule nation commence une nouvelle course aux armements, tout le monde doit suivre afin de se «défendre».

Nous avons l'impression d'être des rabat-joie quand nous vous avertissons que le simple désarmement peut nous induire dangereusement en erreur s'il crée l'illusion que nous avons résolu le problème de la guerre. Observons que le désarmement fut une idée très populaire après la Première Guerre mondiale (pendant laquelle dix millions de personnes furent tuées et vingt millions blessées). Quelques armements furent détruits et on se mit d'accord sur quelques limitations. Durant les années trente, le ministre soviétique des Affaires étrangères, Maxim Litvinov, proposait déjà un désarmement total. Le public était tranquillisé par ce progrès *apparent*. Puis la réalité de la Deuxième Guerre mondiale frappa le monde en 1939. Après tout ce merveilleux désarmement des années vingt et trente, la Deuxième Guerre mondiale tua quelque trente-cinq millions de personnes, en blessa et en mutila encore plus, détruisit des milliards de dollars de biens et de richesses, et ruina la vie d'un nombre incalculable de personnes sur cette planète.

Toujours plus d'armes, ce n'est pas une solution

Une autre stratégie pour la paix mondiale, que des gens sincères essaient encore de faire fonctionner, est celle qui consiste à armer leur pays jusqu'aux dents selon la théorie de dissuasion — souvent appelée en anglais «Mutual Assured Destruction» («MAD», qui en anglais veut aussi dire «fou»). Cependant, comme Emery Reves le fait

> *Miser sur la politique de dissuasion pour nous protéger de l'annihilation nucléaire, c'est comme construire notre maison sur le bord d'un volcan en espérant qu'il n'entrera jamais en éruption.*
>
> Tom Hudgens
> *Let's Abolish War*
> (Abolissons la guerre)

remarquer, *l'armement à des fins de dissuasion pour les uns ne peut être qu'une incitation à commencer une course aux armements pour les autres!* C'est ce qui est arrivé pour les États-Unis et l'Union soviétique durant les quarante dernières années.

Étant donné qu'un missile nucléaire peut se rendre à peu près n'importe où sur la terre en trente minutes, le temps d'avertissement est tellement court qu'il est tout à fait pos-sible qu'une guerre soit déclenchée à partir d'une donnée d'ordinateur mal interprétée. On sait bien que les ordinateurs et les systèmes d'alarme donnent fréquemment de fausses

> *La politique de dissuasion ne doit pas recevoir la bénédiction de l'Église, même en tant que garantie temporaire face à la présence persistante d'arme-ments nucléaires.*
>
> Lettre pastorale des évêques méthodistes, 1986

alertes. Des débris de l'espace comme les météorites ou les satellites entrant dans l'atmosphère peuvent être confondus avec une attaque par missile, en particulier lorsque la tension internationale est forte. Allons-nous accepter que notre vie et celle de notre famille puissent être détruites à cause d'une erreur d'ordinateur?

Lorsque l'on compte sur les machines de guerre pour assurer la paix, la sécurité absolue pour un pays signifie obligatoirement une insécurité absolue pour tous les autres pays. Année après année, la prolifération crois-sante des armements, et l'entraînement d'hommes et de femmes en vue d'un massacre mutuel, nourrit de plus en plus de violence dans le monde. Les nations pauvres du Tiers-Monde sont peut-être incapables de s'offrir de la nour-riture, de l'éducation, ou des soins médicaux, mais elles ont beaucoup d'armes. La possession d'un plus grand nombre d'armes n'est certainement pas ce qui peut garantir efficace-ment une paix permanente dans le monde.

Certaines personnes pensent que le «bouclier» de la «Guerre des Étoiles» va nous sauver. Des experts militaires et scientifiques bien informés affirment que cela ne peut en aucune façon nous protéger contre une catastrophe nucléai-

re. Au cours de la sixième étape, nous expliquerons clairement comment la «Guerre des Étoiles» est presentée au
public de façon trompeuse.

Une guerre sans gagnant

Le propos de ce livre n'est pas de décrire les horreurs
nucléaires. Nous ne voulons pas vous accabler avec la des-
cription du péril nucléaire auquel l'humanité fait face actuellement. Nous devons pour-
tant présenter un autre fait
avant d'aborder les **huit**
étapes positives que nous
pourrons franchir immédiatement afin de créer une

> *Après le premier échange de mis-
> siles... on ne pourra plus distinguer
> les cendres du communisme de celles
> du capitalisme.*
> John Kenneth Galbraith
> Économiste éminent

nouvelle ère de coopération planétaire, durant laquelle nous
n'utiliserons plus de machines de guerre pour résoudre les
conflits entre les nations.

Depuis Hiroshima, le pouvoir militaire ne peut plus
être ce qu'il a été par le passé. La Deuxième Guerre mondiale a été la dernière grande guerre qui a pu être gagnée par
une puissance militaire plus forte. Il ne peut pas y avoir de
gagnant dans une guerre nucléaire — seulement des per-
dants. Le scientifique Carl Sagan a fait remarquer que si les
États-Unis ou l'Union soviétique lançaient une première
attaque majeure au moyen de missiles nucléaires, *et que*
l'autre côté ne ripostait absolument pas, l'effet de l'hiver
nucléaire entraînant un fort abaissement de la température,
un obscurcissement de la lumière et d'autres effets mortels
détruirait toute vie humaine, non seulement dans le pays
attaqué, mais aussi chez l'agresseur lui-même et sur la
majeure partie de la terre*!!!

Aujourd'hui les deux super-puissances se tiennent
mutuellement en otage sous la menace d'une destruction

---

* *The Cold and the Dark; The World After Nuclear War* par Paul R. Ehrlich, Carl Sagan,
Donald Kennedy, Walter Orr Roberts. New York, W.W. Norton & Company, 1984.

imminente causée directement par le feu d'une explosion atomique ou indirectement par une mort lente qu'entraîneraient les radiations et l'hiver nucléaire. En un jour ou deux, les super-puissances pourraient faire exploser environ six mille fois la quantité d'explosifs utilisés pendant toute la durée de la Deuxième Guerre mondiale! C'est de la folie pure que d'essayer de protéger le monde par la menace d'une destruction générale.

Pour vous sauver, vous et votre famille

Le seul moyen d'assurer à votre famille, à vous-même, et à nous tous un avenir sur cette terre (et de plus, une abondance sans précédent) consiste à réussir rapidement à mettre sur pied un nouveau système international grâce auquel nous réglerons nos conflits dans une cour de justice plutôt que sur un champ de bataille. Et ceci est le message principal de *PlanetHood* : nous pouvons et nous devons, au niveau international, **remplacer la loi de la force par la force de la loi.** Les huit étapes présentées dans ce livre vous montreront comment vous pouvez agir pour que cela se réalise au plus tôt*.

> *Nous avons le choix. Ou bien les êtres humains sont capables de prendre le risque de vivre ensemble à l'aide d'un système législatif international, ou bien ils se préparent à mourir ensemble dans le système de guerre actuel.*
>
> Myron W. Kronisch
> Campagne pour la réforme de l'ONU

«Une guerre nucléaire ne peut être gagnée disait l'ex-Président Reagan, et elle ne doit jamais être livrée.» Les paroles sonnent bien, mais quelque part la musique qui les accompagne ne semble pas très juste. Nous ne pouvons pas compter sur nos politiciens pour nous sauver. Les politiciens sont intéressés habituellement à protéger leurs

---

* L'appendice 3 contient un résumé d'un article de Emery Reves paru dans le *Reader's Digest* : «The Anatomy of Peace». C'est une présentation brillante de la source exacte de la guerre et d'un moyen pratique pour en être libéré.

intérêts partisans, sectaires et locaux, à leur façon. Les schèmes de pensée de la plupart d'entre eux les orientent vers le vieux système de défense; si vous voulez la paix, préparez la guerre. Ils se fient à la vieille loi de la jungle : «La loi du plus fort est toujours la meilleure.» Ils ne semblent pas vraiment comprendre que les machines de guerre sont maintenant les ennemies, et non les protectrices, de leur peuple.

Le simple bon sens nous dit que si l'esprit humain est capable d'inventer des dispositifs assez puissants pour détruire le monde, il doit être aussi bien capable d'inventer un système mondial pour éviter cette destruction. Je crois que *l'optimisme et l'effort individuel sont essentiels* pour résoudre le problème de la guerre dans le monde.

Sans cet optimisme qui nous donne la certitude que l'être humain peut s'améliorer, le découragement et le désespoir détruiraient tout esprit d'initiative et toute la détermination nécessaires pour vaincre les prédictions de malheurs. L'espoir est le moteur de toute entreprise humaine. C'est seulement en ayant confiance dans l'avenir que la race humaine peut rassembler la force et le courage nécessaires pour assurer sa survie. C'est pourquoi nous avons délibérément choisi de percevoir le verre comme à moitié plein, plutôt qu'à moitié vide.

Mais nous sommes également convaincus que *cet optimisme se justifie par les faits.* Malgré toutes les tensions et les luttes de notre monde contemporain, une analyse objective de l'histoire nous montre que l'espèce humaine avance dans un mouvement continuel, bien que parfois cahoteux, vers un ordre mondial de plus en plus axé sur la coopération. Le puissant mouvement vers l'avant décrit dans ce livre doit être nourri avec soin si l'on veut qu'il atteigne la maturité. *Nous ne devons pas être tentés d'abandonner l'enfant simplement parce qu'il n'est pas encore arrivé à maturité.*

Nous devrons donc faire le travail nécessaire pour nous sauver nous-mêmes, et toute l'humanité. *Notre propre survie est trop importante pour la confier à qui que ce soit d'autre.*

C'est une tâche que chacun de nous doit accomplir maintenant sur cette terre — et le temps presse. Personne ne sait
combien de temps il nous reste.

Notre droit fondamental en tant qu'être humain

Il est évident que le temps est venu pour nous, les
peuples de ce monde, d'empêcher notre propre anéantisse-
ment. Pour nous aider à réaliser notre propre sauvetage,
l'auteur principal de ce livre a formulé une proclamation
de notre droit fondamental en tant qu'être humain. Cette
proclamation peut être utilisée comme une formule de
ralliement :

**J'ai le droit de vivre dans un monde en paix,
à l'abri de tout danger de mort provoquée
par une guerre nucléaire.**

Nous devons affirmer avec force ce droit fondamental
de tout être humain, de façon que nos dirigeants militaires et
politiques puissent nous entendre — affirmation qui
doit être énoncée de façon ferme, aimante et *non-violente*.
Tomber dans le piège de la violence pour la cause de la non-
violence et de la paix, ce n'est que perpétuer les vieux systèmes de pensée qui nous ont conduits dans la situation difficile que nous connaissons actuellement.

Les habitants de cette planète ne veulent pas mourir
dans une guerre nucléaire, ni dans n'importe quelle autre
guerre. Les enfants autant que les adultes ont trop souffert à
cause de toutes les guerres successives qui ont empoisonné
l'histoire humaine pendant des milliers d'années. Malheureusement, beaucoup de ces mêmes personnes, lorsqu'elles
accèdent à des postes de pouvoir militaire ou politique, se
laissent leurrer par la pensée que le pouvoir de tuer signifie

la sécurité. Aujourd'hui, il devient évident que c'est là une façon de penser sous-développée et dangereuse, datant de l'époque des dinosaures.

Le premier pas que nous pouvons faire pour nous protéger d'une destruction nucléaire, c'est d'affirmer clairement *notre droit fondamental en tant qu'être humain* de vivre dans un monde exempt de tout danger de mort causée par une guerre nucléaire. Ce droit est déclaré «fondamental», car à moins qu'il ne soit respecté par le remplacement de *la loi de la force par la force de la loi,* tous nos autres droits resteront en danger. Nos droits à la dignité humaine, à la liberté de religion, notre droit de gagner décemment notre vie, d'avoir un logement, de la nourriture, des soins médicaux, et la «recherche du bonheur» n'ont *aucun sens* s'il n'y a plus personne sur cette terre pour en jouir! Quels que soient les bienfaits économiques, sociaux, politiques, religieux ou autres dont nous voulons bénéficier, tout sera perdu si nous n'arrivons pas à obtenir de façon certaine le respect de ce *droit fondamental de l'être humain.*

> *Il est grand temps pour l'humanité d'accepter les pleines conséquences de la nature globale et interdépendante de notre demeure planétaire et de notre espèce, et de travailler avec cette réalité. Notre survie et nos progrès futurs dépendront largement de l'émergence de nouvelles visions et d'une éducation globale appropriée dans tous les pays du monde.*
>
> Robert Muller, 1982
> Ancien Sous-Secrétaire général de l'ONU
> Chancelier de l'Université pour la Paix

C'est notre droit naturel fondamental

Cette proclamation de notre droit naturel fondamental n'est pas une simple vue de l'esprit. Elle fait partie intégrante du respect grandissant pour les droits de tous les individus. *Ce droit fondamental, dont tous les autres droits dépendent, ne peut être protégé que si l'on remplace l'anarchie actuelle dans les relations internationales par un droit international soutenu par un système d'application réel et efficace.*

La Charte des Nations Unies confirme la détermination de toutes les nations «de protéger les générations à venir du fléau de la guerre». La Déclaration universelle des Droits de l'homme adoptée en 1948 par l'ONU déclare que «tout individu a droit à la vie, à la liberté et à la sécurité de sa personne» et fait référence à «un ordre social et un ordre international» au sein desquels ces droits «peuvent être pleinement respectés». Ces droits civiques, politiques, économiques, sociaux et culturels ont été promis à toute l'humanité.

> *Le problème de la défense est de savoir jusqu'où vous pouvez aller sans détruire de l'intérieur ce que vous essayez de défendre contre l'extérieur.*
>
> Dwight D. Eisenhower
> 18 janvier 1953
> Président des États-Unis

Sans la paix, aucun de ces droits ne peut être assuré. Le coût humain et financier de la préparation de la guerre (habituellement appelée «défense») rend impossible le respect total de nos droits en tant qu'êtres humains. La menace d'une guerre nucléaire fait planer un danger mortel sur tous les êtres vivants et ruine matériellement la planète. Il est donc nécessaire que ce droit fondamental soit clairement défini et proclamé comme objectif prioritaire et essentiel pour le reste du XXᵉ siècle. La possibilité de réalisation de tous nos espoirs, de tous nos rêves et de toutes nos vérités réside dans le respect de notre droit fondamental en tant qu'être humain de vivre dans un monde en paix, à l'abri de tout danger de mort provoquée par une guerre nucléaire.

Notre premier pas vers la coopération planétaire (PlanetHood)

Notre premier pas vers la coopération planétaire est d'affirmer le droit naturel fondamental de tout être humain partageant une planète commune. Nous espérons qu'une proclamation de ce droit fondamental sera signée à travers le monde entier par tous les citoyens. Elle devrait être affichée sur les murs des bureaux et des usines, être visible dans toutes les maisons, imprimée sur des panneaux d'affichage, enseignée dans toutes les écoles et écrite dans le ciel.

Dans l'appendice 4, vous trouverez des copies de cette proclamation que vous pourrez utiliser afin de recueillir les signatures de vos amis et de vos voisins. Une fois remplie, chaque feuille devra être envoyée à M. Javier Perez de Cuellar, Secrétaire général des Nations Unies, en demandant qu'il informe les nations du monde de ce que nous demandons. Vous pouvez commencer à faire savoir à tout le monde que vous en avez assez de la façon dont le monde est organisé.

Comme nous l'avons mentionné, nous allons présenter huit étapes spécifiques VOUS donnant les moyens de faire en sorte que ce droit humain fondamental devienne une réalité pour vous et pour tous. Dans les pages suivantes, nous allons présenter ce que des années d'études intensives nous ont montré comme étant

> *Si nous ne voulons pas mourir ensemble dans la guerre, nous devons apprendre à vivre ensemble en paix.*
>
> Harry S. Truman, 1945
> Président des États-Unis

efficace. Nous offrons ceci comme cadre de référence. D'autres approcheront les problèmes de la paix dans le monde dans une perspective différente. Nous en serons très heureux. En effet, plus nous sommes nombreux à réfléchir sur ces questions vitales, plus rapidement nous trouverons de sages solutions.

Lors de cette première étape, nous avons commencé à insister sur notre droit fondamental en tant qu'être humain. Nous sommes maintenant prêts à considérer la deuxième étape (présentée dans la prochaine section) pour assurer notre droit de vivre dans un monde de paix et de prospérité, libre de tout danger de mort provoquée par une guerre nucléaire, et ainsi bénéficier de cette passionnante ère nouvelle que nous offre le XXIe siècle.

2ᵉ étape

Comprendre ce qui doit être fait

2e étape

Comprendre ce qui doit être fait

AUSSI LONGTEMPS que nous vivrons dans un monde anarchique sans gouvernement ni loi, il y aura toujours un «méchant» quelque part dans le voisinage international. Ce livre décrit le moyen de sortir l'humanité de cet état perpétuel de guerre ou de menace de guerre qui nous saigne à blanc pour payer des machines meurtrières, et nous prive d'une prospérité planétaire. Et il n'est pas nécessaire pour cela que tout le monde devienne bon et gentil du jour au lendemain!

A moins que nous ne changions nos façons de faire, l'humanité semble vouée à une mort certaine. Une nouvelle approche des problèmes est nécessaire si nous voulons assurer un avenir décent à nos enfants. Comment pouvons-nous passer de la course aux armements à la course à la paix? Que pouvons-nous faire face à cette crise, la plus grave que l'humanité ait jamais connue?

Comment résoudre le problème de la guerre?

La seule façon de résoudre définitivement le problème de la guerre est de remplacer la LOI DE LA FORCE PAR LA FORCE DE LA LOI.

Si nous laissons de côté nos plaisanteries favorites au sujet de nos politiciens, nous pouvons réaliser que malgré tout *nous avons développé un système de gouvernement interne qui fonctionne!* Si vous avez pu dormir tranquillement dans votre lit la nuit dernière c'est parce que votre ville possède un système de lois, une police pour faire respecter la loi, et des tribunaux qui font en sorte que vous puissiez vous sentir relativement en sécurité. (Nous savons très bien

> *Nous devons créer une législature internationale et un système de mise en application de la loi à l'échelle mondiale, qui nous permettront de bannir les guerres et les armements à l'échelle mondiale.*
>
> John F. Kennedy
> Président des États-Unis.

que ceci est loin d'être parfait, mais nous considérons ici les choses d'un point de vue pratique.) De la même façon, l'État dans lequel vous vivez possède une structure politique qui comprend les trois éléments nécessaires pour un gouvernement adéquat : des représentants élus qui font les lois, un pouvoir exécutif possédant une police pour assurer l'application de ces lois, et des tribunaux pour résoudre les conflits, décider qui est innocent, qui a transgressé la loi, et quelle est la sanction qui doit être appliquée.

Sans ces trois éléments — *lois, mise en application des lois, et tribunaux* — c'est le désordre et le chaos en permanence. Sans cette organisation en place, il vous faudrait peut-être tuer ou courir le risque d'être tué afin d'obtenir un niveau de sécurité bien en dessous de celui que les gouvernements de votre ville ou de votre pays vous garantissent actuellement. Rappelez-vous le temps du Far-West au siècle dernier en Amérique du Nord; il suffisait de posséder un revolver pour faire la loi, l'imposer, juger, condamner et exécuter les peines — et souvent tout cela à la fois en l'espace d'une minute. Le carnage et la violence du Far-West ont finalement forcé les gens de l'époque à organiser l'ordre public. De la même façon, la tuerie, la violence et la menace nucléaire régnant actuellement sur la planète vont obliger les nations à trouver des moyens, autres que les massacres, pour résoudre leurs conflits.

La force n'est pas nécessaire

Une solution efficace, autre que l'usage de la force, demandera beaucoup de changements et d'innovations. Les Nations Unies et les organisations similaires travaillant à la coopération internationale et au règlement des conflits devront être grandement améliorées dans leur fonctionnement. L'armement national devra être placé sous un contrôle international. La protection des intérêts nationaux qui était auparavant assurée par le recours à la force, pourra dorénavant être garantie par un

> *Martelant leurs épées, ils en feront [des socs, et de leurs lances, ils feront des [serpes. On ne brandira plus l'épée, nation [contre nation, on n'apprendra plus à se battre.*
>
> La Bible, Michée, 4:3.

système de sanctions économiques mises en application grâce aux ressources de la communauté mondiale. Des forces internationales de maintien de la paix devront être créées comme autorité finale pour veiller au respect de la loi.

Ceux qui devront se soumettre à ce système de loi internationale doivent bien savoir que les lois sont aussi bonnes que ce que l'on peut ou veut bien les faire. Ils doivent reconnaître que l'objectif du système n'est pas l'exploitation des faibles ou la protection des privilèges des forts. Aucun système de loi ne pourra être mis en application s'il ne comporte pas, comme élément de base, l'objectif de garantir la justice sociale pour la communauté humaine dans sa totalité.

Il suffit d'un palier de plus

Si nous prenons l'exemple des États-Unis, nous remarquons qu'il y a quatre paliers de gouvernement : la ville, le comté, l'État et la nation. Ces quatre paliers ont été créés afin d'éviter l'anarchie *à l'intérieur même du pays.* Il est très intéressant de réaliser que *l'addition d'un palier de gouvernement supplémentaire* peut nous permettre de sortir de l'anarchie internationale et de générer un avenir prospère sur cette planète.

Un gouvernement international — quelque chose comme l'Union des Nations du Monde — nous sortira du danger mortel qui nous guette quotidiennement. Le Président américain Harry S. Truman déclarait, dans le style bien réaliste qui lui était propre : «Quand le Kansas et le Colorado sont en conflit à propos de l'utilisation de la rivière Arkansas, ils ne font pas appel à la Garde Nationale de chaque État pour partir en guerre. Ils portent leur différend devant la Cour suprême des États-Unis et respectent sa décision. Il n'existe aucune raison pour ne pas agir de la même façon à l'échelon international... Nous pouvons fonctionner aussi harmonieusement dans une république mondiale que le font actuellement les différents États au sein des États-Unis.»

> *L'abolition de la guerre ne peut plus être une simple question d'éthique discutée uniquement par des philosophes ou des ecclésiastiques distingués. Cela devient une question fondamentale dépendant des décisions mêmes des masses dont la survie est en cause. Beaucoup tourneront en ridicule l'idée de l'abolition de la guerre et s'en moqueront comme étant un doux rêve... sorti de l'imagination fumeuse d'un visionnaire. Malgré tout cela, nous devons aller de l'avant, ou bien nous y resterons tous! Nous devons générer de nouveaux systèmes de pensée, de nouvelles idées, de nouveaux concepts. Nous devons briser le carcan du passé qui nous enserre. Nous devons avoir suffisamment d'imagination et de courage pour traduire le désir universel de paix, qui est en train de devenir une nécessité universelle, en une réalité.*
>
> Douglas MacArthur
> Général de l'armée américaine

Le développement graduel de la législation et de la coopération internationales durant ce dernier siècle a créé les conditions qui nous permettent de construire dès maintenant un monde de paix et d'abondance pour tous. Observons les progrès qui, déjà, ont été réalisés en remplaçant la *loi de la force* par la *force de la loi*. Louis Sohn, professeur émérite de droit international de la Faculté de droit de Harvard, nous fait remarquer que :

... durant les quarante dernières années, plus d'accords internationaux ont été signés que durant les quatre millénaires précédents; la Cour internationale de Justice, après une période d'inactivité, a maintenant plus de cas à régler qu'elle ne peut le faire dans le temps dont elle dispose (y compris plusieurs cas démontrant qu'elle est acceptée et reconnue par les pays africains et d'autres membres récents de la communauté internationale); plusieurs tribunaux régionaux doivent régler un nombre de cas de plus en plus grand; et plus de deux cents organisations internationales s'occupent de problèmes concernant la plus grande partie de l'humanité d'une façon tellement efficace et harmonieuse que leurs actions sont généralement acceptées sans un seul murmure*.

Ces progrès remarquables peuvent maintenant servir de fondations pour doter le monde de lois efficaces.

On est étonné lorsque l'on prend conscience de tout ce qui a déjà été réalisé. Selon Willy Brandt, ancien chancelier de l'Allemagne de l'Ouest, «la République fédérale d'Allemagne [en devenant membre de la Communauté Européenne], a déclaré dans sa Constitution sa volonté de transférer ses droits de souveraineté à des organisations supranationales, et a placé les lois internationales au-dessus des lois nationales... Ceci exprime la prise de conscience que les souverainetés individuelles et nationales ne peuvent être assurées qu'à travers des communautés plus larges.»

> *Le désir profond de paix de l'humanité ne pourra se réaliser qu'à travers la création d'un gouvernement mondial.*
>
> Albert Einstein

Bien d'autres constitutions et traités rédigés durant les dernières années prévoient que les gouvernements nationaux

---

*Extrait de l'introduction du professeur Sohn au livre de Benjamin B. Ferencz *A Common Sense Guide to World Peace,* New York, Oceana Publications, 1985.

> *Cette déclaration s'adresse à tous ceux qui craignent qu'il soit anti-patriotique de désirer un gouvernement ayant une plus grande juridiction que le leur. Il n'y a pas de plus grand devoir patriotique que de protéger son propre pays et ses libertés. Il est vrai que toutes nos libertés doivent être maintenues lorsque nous nous réunissons en une fédération, excepté la liberté de faire la guerre. Tout comme nos propres cinquante États ont laissé cette tâche au gouvernement national, ainsi les cent soixante pays du monde, ou quel que soit le nombre de pays réunis, devront laisser au gouvernement fédéral mondial le soin de s'occuper de la guerre et de la défense. Je vis à Cherry Hills, au Colorado, et je pense que c'est la plus belle ville du monde. Je vis dans le comté de Arapahoe, et je pense que c'est le plus beau comté du monde. Je vis dans l'État du Colorado, et je pense que c'est l'État le plus remarquable du monde. Je vis aux États-Unis, et je pense que c'est le pays le plus extraordinaire du monde. Mais je vis aussi sur la Planète Terre, et cela n'amoindrit pas d'un iota mon patriotisme envers ma ville, mon comté, mon État, ou mon pays, de penser que cette planète est la plus merveilleuse de l'univers, et que je la défendrai contre tout péril avec tout ce que j'ai de meilleur. Ce dont nous avons besoin dans ce monde, c'est d'un serment d'allégeance à la Planète Terre émanant de tous les citoyens du monde.*
>
> Tom A. Hudgens
> *Let's Abolish War*
> (Abolissons la guerre)

respectent d'une façon ou d'une autre un système législatif international. Parmi ceux-ci nous trouvons les constitutions de la Belgique, de la France, du Costa Rica, de l'Inde, de l'Italie, du Japon, du Luxembourg et de la Norvège. Il est intéressant de remarquer que dans l'article 9 de la constitution japonaise de 1947, entrée en vigueur alors que MacArthur était présent, nous trouvons la déclaration suivante : «... le Japon renonce pour toujours à la guerre comme droit souverain d'une nation, ainsi qu'à la menace ou à l'utilisation de la force pour régler les conflits internationaux.» Le Japon a bénéficié largement de cette décision et n'en est devenu que plus riche.

Pour nous donner la chance de vivre en paix et dans l'abondance grâce à la coopération planétaire, *nous devons élargir notre idée du patriotisme.* George Washington dut faire face lui aussi au problème de la loyauté limitée. Par exemple, durant la Guerre d'Indépendance américaine, une femme écrivit, «Washington a essayé de persuader les hommes de ses troupes du New Jersey de jurer fidélité et obéissance aux États-Unis. Ils ont refusé : «Le New Jersey est notre pays!» disaient-ils obstinément.» Durant le Congrès continental, un délégué du New Jersey dénonça l'action du Général comme étant tout à fait déplacée. Pour ne pas nous laisser limiter par de telles attitudes réactionnaires, *nous devons être capables d'élargir notre patriotisme d'un cran, afin de l'amener au niveau international pour le bien commun de toute l'humanité.*

Si nous travaillons aussi fort à la promotion d'une république mondiale que nous le faisons à vendre des boissons gazeuses partout dans le monde, nous arriverons à construire, avant la fin de ce siècle, un monde d'ordre et de paix, libéré de toute menace de guerre. **Le sens d'appartenance à une même grande famille planétaire *(PlanetHood)* est une idée dont le temps est venu.**

> *L'internationalisme ne signifie pas la disparition des pays individuels. Les orchestres n'ont jamais signifié la disparition des violons.*
>
> Golda Meir
> Premier Ministre d'Israël

Le «Far West» international doit cesser

Au temps du Far-West, les gens portaient des revolvers à leurs ceintures pour se «protéger». Toute dispute dans un bar pouvait se terminer par une tuerie. Les hors-la-loi circulaient librement. Le nombre de morts violentes dans ce monde sans ordre ni loi était bien trop élevé. Pour obtenir la paix dans leur communauté, les citoyens demandèrent des shérifs et des tribunaux pour faire respecter la loi; ce n'était plus chacun pour soi. Nous devons faire la même chose maintenant au niveau international.

Aujourd'hui il n'existe aucune législation mondiale qui détermine ce qu'un pays peut ou ne peut pas faire. Il n'y a aucun pouvoir exécutif pour faire respecter les lois internationales, et aucun tribunal mondial capable de rendre des

sentences fondées sur une constitution internationale et susceptibles d'être *respectées et exécutées.* Dans l'état actuel
des choses, les nations choisissent elles-mêmes la façon dont
elles veulent résoudre les conflits. Elles choisissent la
version d'ententes plus ou moins ambiguës qu'elles voudront bien suivre.

Bien des ententes ont été acceptées par la communauté mondiale, stipulant les limites acceptables du comportement au niveau international. Mais la plupart d'entre elles
contiennent des clauses habilement construites et *formulées
délibérément avec une ambiguïté telle* que chaque
pays peut facilement les interpréter à son avantage! *Tout système permettant aux différentes parties d'interpréter les lois principalement à leur propre avantage ne mérite aucun respect. Cela revient pratiquement à ne pas avoir de système légal du tout.*

> *Nous sommes convaincus qu'un système de sécurité étendu et intelligent repose sur un système de législature et de maintien de l'ordre universel, permettant d'assurer la prédominance de la loi internationale en politique...*
>
> Mikhaïl Gorbatchev
> Secrétaire général de l'URSS
> Article paru dans *La Pravda*
> 17 septembre 1987

En 1979, par exemple, cent dix-huit pays votèrent en
faveur d'une convention internationale contre la prise
d'otages. Tout pays appréhendant une personne devait «sans
aucune exception» la poursuivre en justice ou l'extrader. En
dépit de ce langage on ne peut plus clair, des exceptions
furent introduites protégeant ceux qui agissaient «pour des
motifs politiques», ou qui luttaient contre «la domination
coloniale ou l'occupation étrangère» ou qui «exerçaient leur
droit à l'auto-détermination». Les mêmes échappatoires
apparaissent dans les accords relatifs à d'autres actes de terrorisme. Dans de telles circonstances où tout est à double
sens, il n'est pas surprenant que des actes de terrorisme se
produisent toujours.

La définition du terme agression est tellement criblée
de clauses contradictoires que le Conseil de Sécurité
l'ignore presque complètement alors qu'il devrait s'y référer

systématiquement. Des traités spécifiques, signés pour protéger l'espace de missiles balistiques, sont interprétés par la suite d'une façon telle que l'objectif fondamental en est totalement dénaturé.

Si les lois comportent des échappatoires, ceux qui ne veulent pas respecter la loi utiliseront ces échappatoires comme ils le voudront. Ceux qui désirent vivre sous la protection de la loi ne peuvent pas avoir le droit d'échapper à la loi par le biais d'interprétations tendancieuses chaque fois que cela fait leur affaire.

Les trois voies possibles

Un système planétaire doit être construit de façon qu'il ne soit *pas trop puissant* (afin d'éviter la tyrannie), *et pas trop faible* (afin de rester efficace). Il existe trois façons fondamentales de créer un système de gouvernement international, allant du plus mauvais au meilleur :

1. Une dictature mondiale. Un bien mauvais moyen de se débarrasser de l'anarchie mondiale est d'établir une puissante dictature internationale régnant sur tous les pays. Les cas de dictateurs comme Hitler nous démontrent que ce *pouvoir doit être limité.* En 1887, Lord Acton faisait déjà observer que : «Le pouvoir corrompt; et le pouvoir absolu corrompt absolument». Des éléments de contrôle et d'ajustement efficaces sont essentiels pour empêcher la concentration du pouvoir dans les mains d'une seule personne, ou d'un seul intérêt. Une dictature mondiale n'est assurément pas la solution que nous cherchons; ce serait «sauter hors de la poêle pour tomber dans le feu».

2. Une confédération des nations. Une confédération semble une bonne idée sur papier, mais en pratique cela ne marche pas. Les Nations Unies forment actuellement une confédération de cent cinquante-neuf nations souveraines. Exprimant de bonnes intentions, leur Charte commence par la déclaration suivante : «Nous, les Peuples des Nations

Unies déterminés à sauver les prochaines générations du fléau de la guerre, ...» L'ONU a une Assemblée générale (au sein de laquelle chaque pays possède un droit de vote), un Conseil de Sécurité, et une Cour internationale de Justice à La Haye. Malheureusement, tout comme les Articles de la Confédération américaine rédigés il y a deux cents ans, cette Charte ne suffit pas pour éviter les guerres parce qu'elle est trop faible.

Aujourd'hui l'ONU est toujours aux prises avec un système de guerre! Quand l'Iran s'empara de l'Ambassade américaine et maintint le personnel de celle-ci en otage, les États-Unis allèrent devant la Cour internationale de La Haye. La décision fut unanime en faveur des États-Unis. *Cependant, il n'existe aucun moyen de faire respecter ces décisions!* Alors les otages restèrent prisonniers. Quand les États-Unis minèrent un port nicaraguayen et que le Nicaragua porta plainte, les

> *Si elle veut accomplir sa mission, l'Organisation des Nations Unies doit être, en fait, en mesure de protéger de la guerre et de toute agression toute personne de tout pays, plus efficacement que ne pourrait le faire le gouvernement du pays même auquel cette personne appartient.*
>
> Cord Meyer
> *Peace or Anarchy*
> (Paix ou Anarchie)

États-Unis rejetèrent la juridiction de la Cour. Les protestations mondiales furent ignorées lorsque les troupes soviétiques furent envoyées en Afghanistan. L'attitude anarchique habituelle est : *ou bien vous acceptez nos actions illégales, ou bien c'est la guerre.* Nous avons introduit tellement d'échappatoires dans le système de l'ONU que celle-ci est absolument incapable d'empêcher une agression, **à moins que nous ne modifiions sa Charte.**

Nous avons délibérément construit une Charte faible, de façon que personne ne puisse dire à qui que ce soit ce qu'il doit faire. Nous avons voulu l'ONU sans pouvoir et, en donnant à cinq puissantes nations le droit de veto sur toute action exécutoire, *nous avons délibérément laissé la porte ouverte à la possibilité de résolution des conflits par la guerre.* En dépit des grands idéaux exprimés dans la Charte, et de l'interdiction qui y est mentionnée d'utiliser la force (sauf en cas de légitime défense), nous n'avons donné aux Nations Unies ni l'autorité ni le pouvoir nécessaires pour mettre fin à l'anarchie et aux désordres internationaux.

L'ONU pourtant a été une étape importante et utile. Elle constitue aujourd'hui une base solide pour la construction d'un gouvernement international plus efficace. Le temps est venu maintenant de transformer l'ONU en un véhicule efficace qui assurera la paix sur toute la planète.

> *Il est temps d'arrêter de traiter les gens avec condescendance comme s'ils étaient des enfants. Ceux qui réclament la paix savent très bien nous rappeler combien la course aux armements est dangereuse. Et elle est dangereuse, très, très dangereuse. Nous devons continuer à insister sur ce point. Mais nous devons aussi trouver le courage de dire au monde à quel point le remède nécessaire contre la course aux armements est radical, et pourquoi ce remède radical est nécessaire.*
>
> Dr John Logue
> Directeur du
> Common Heritage Institute

3. Une république démocratique mondiale.
Une république démocratique mondiale peut compléter efficacement notre structure gouvernementale et combler notre besoin le plus urgent. Tous les pays de la terre peuvent être protégés par une constitution internationale prévoyant un congrès international pour édicter des lois, une Cour internationale pour appliquer les lois, et un système exécutif international pour veiller à ce que les lois soient exécutées. Nos représentants au Congrès mondial pourraient nous assurer une protection bien supérieure à celle que nous avons aujourd'hui. **Nous pouvons réaliser notre «citoyenneté planétaire» à travers les Nations Unies du monde,** tout comme les Américains, par exemple, ont réalisé leur citoyenneté nationale à travers la Constitution des États-Unis d'Amérique*.

* Consulter *World Peace Through World Law,* par Grenville Clark et Louis B. Sohn. 3e éd. Cambridge; Harvard University Press, 1966. Un livre fondamental décrivant les réformes nécessaires pour rendre l'ONU efficace.

Les fondements d'une constitution mondiale

1. Une déclaration des droits.
2. Une section législative élue par les peuples pour édicter les lois mondiales.
3. Une Cour suprême mondiale pour interpréter ces lois, avec juridiction obligatoire en ce qui concerne les conflits mondiaux.
4. Une section exécutive civile ayant le pouvoir de faire appliquer les lois directement pour chaque individu.
5. Un système de contrôle et d'ajustement pour prévenir les abus de pouvoir dans l'un quelconque des secteurs du gouvernement mondial.
6. Le contrôle de toutes les armes de destruction de masse par le gouvernement mondial, avec désarmement de toutes les nations, sous inspection sévère, jusqu'au niveau correspondant à l'organisation interne.
7. Un droit de taxation bien défini et limité, pour soutenir les actions nécessaires au maintien de la paix et à la résolution des problèmes affectant de façon vitale le bien-être de l'humanité.
8. Des dispositions raisonnables pour des amendements.
9. La possibilité pour toutes les nations de participer en tout temps à ce gouvernement.
10. Tout pouvoir non expressément délégué au gouvernement mondial sera réservé aux pays eux-mêmes et à leur population, laissant chaque nation libre de choisir son propre système politique, économique et social.

Extrait de l'«American Movement for World Government» (Mouvement américain pour un Gouvernement mondial), One World Trade Center, Suite 7967, New York, NY 10048.

Limiter le pouvoir

Dans ce système mondial nous devons *limiter le pouvoir*, de la même façon que les Pères Fondateurs ont limité le pouvoir du gouvernement des États-Unis. Nous devons utiliser des systèmes de contrôle et d'ajustement pour éviter les pièges du pouvoir. Nous devons procurer la paix et la dignité aux peuples du monde, à l'aide de lois internationales mises à exécution par un système exécutif efficace et une magistrature mondiale.

La constitution américaine laissa tout le pouvoir aux mains de chacun des États, excepté pour les affaires concernant les autres États ou nations. Les

> *Je pense depuis longtemps que c'est seulement à travers un gouvernement mondial que la paix peut être obtenue en permanence.*
> Jawaharal Nehru
> Premier Ministre de l'Inde

conflits entre les États sont réglés légalement — et non pas violemment — par les lois américaines, les tribunaux, et un système de mise à exécution de la loi. *Grâce à un système intelligent et sage de contrôle et d'ajustement qui limite le pouvoir du Congrès, de la Cour suprême et de la section exécutive, aucun roi ni dictateur ne peut s'emparer du gouvernement des États-Unis.*

Pour sauver l'humanité de la destruction nucléaire et créer les conditions pour une prospérité à l'échelle mondiale, nous pouvons utiliser une structure gouvernementale similaire à celle qui a fait des États-Unis l'une des nations les plus fortes et les plus prospères de la terre. Les citoyens américains bénéficient d'énormes droits individuels, sans oublier que le droit de chacun d'agiter librement ses bras finit là où commence le nez de l'autre! Nous avons donc déjà un modèle efficace qui peut fonctionner au niveau international, tout comme il l'a si bien fait au niveau national pour les États-Unis.

Désarmer, tout en assurant notre sécurité

A partir du moment où nous serons protégés par des lois internationales, des tribunaux et un système exécutif efficace, **nous pourrons enfin commencer à désarmer.** Ceci inclurait évidemment la disparition de tous les engins voués à la destruction de masse. *Ces bombardiers, missiles, tanks, sous-marins et navires de guerre porteurs de mort ne sont pas nécessaires pour maintenir l'ordre et la paix à l'intérieur d'une nation. Plus besoin d'armées, de forces navales ou aériennes, ou de «Guerre des Étoiles»!* Fini le commerce d'armes international. On n'en aura tout simplement plus besoin.

> *Je suis convaincu que le Grand Créateur du Monde va développer celui-ci de telle façon qu'il n'y aura plus qu'une nation, et que les armées et les forces navales ne seront plus nécessaires... Je crois qu'un jour viendra où tous les pays de la terre se mettront d'accord sur une sorte de congrès qui prendra connaissance des questions internationales posant des difficultés, et dont les décisions seront respectées et exécutées comme le sont celles de notre Cour suprême actuelle.*
>
> Ulysses S. Grant
> Président des États-Unis,
> 1869-1877

Les Nations Unies auront à la place des forces de paix aériennes et terrestres bien entraînées pour voir au maintien de la paix entre les différents pays du monde. Réfléchissez au nombre de vies sauvées et aux montagnes d'argent économisé! Au lieu de millions de soldats engagés dans les différentes armées nationales, *qui de toute façon n'ont pas réussi à maintenir l'ordre dans le monde,* quelques centaines de milliers de «gardiens de la paix mondiale» pourraient assurer l'ordre et la paix sur toute la planète. Cela en vaut la peine!

Liberté de choix à l'intérieur des frontières nationales

Nous ne voulons pas que les autres pays nous imposent leur façon de faire, et nous devons naturellement éviter de vouloir imposer notre propre système économique, social, religieux ou politique aux autres. La constitution américaine limite sagement le pouvoir législatif du gouvernement fédéral aux affaires inter-État. De la même façon une constitution mondiale doit permettre aux peuples du monde de gérer leur pays à leur propre façon. Les nations capitalistes peuvent rester capitalistes; les nations communistes peuvent rester communistes. Chaque nation pourra déterminer sa façon de fonctionner au niveau économique et politique. Le but est l'unité internationale — et non l'uniformité nationale. L'unité dans la diversité!

L'organisation réformée des Nations Unies posséderait un système électoral démocratique et le droit d'édicter des lois obligatoires. Et en même temps les cent cinquante-neuf pays continueraient à former leur propre gouvernement. Ainsi l'Arabie Saoudite garderait son roi, alors que plusieurs pays seraient toujours dirigés par un président qui n'est pas élu par le peuple; l'Angleterre conserverait un système parlementaire basé à la fois sur l'hérédité et sur le suffrage populaire; la Suède et l'Islande pourraient rester socialistes; l'Union soviétique pourrait rester communiste; et d'autres pays, comme les États-Unis, resteraient des républiques fédérales. Si les nations en tant que telles voulaient conserver ou changer leur système de gouvernement, ce serait leur propre choix et leur responsabilité.

Bien des gens sincères sont très inquiets à propos de l'expansion du communisme dans le monde. Est-il sécuritaire d'avoir un gouvernement mondial qui admette d'autres formes de gouvernement que la nôtre, y compris celles qui risquent d'influencer et de dominer d'autres nations? OUI C'EST SÉCURITAIRE! C'est mille fois plus sécuritaire que la situation actuelle!!!

Les forces de paix internationales et la Cour suprême mondiale auraient le pouvoir d'empêcher toute nation d'utiliser la force armée ou la menace militaire pour contraindre le peuple d'une autre nation de quelque façon que ce soit. Les plaintes pourraient être présentées à la Cour mondiale, dont les décisions seraient exécutoires. Un Congrès international, une Cour mondiale et une section exécutive garantiraient aux différentes nations du monde *une sécurité bien supérieure pour sauvegarder leurs tradi-*

> *On ne peut pas ériger un système garantissant la paix sur la base de la coercition de certains gouvernements envers d'autres, parce que c'est essayer de construire un système de paix sur une fondation faite de guerre. La seule base possible pour un système garantissant la paix est un groupement de souverainetés dans un but supranational, c'est-à-dire la création d'une «internationalité» commune, au-dessus, mais entièrement distincte, des diverses nationalités locales.*
>
> Philip Henry Kerr
> Marquis de Lothian
> Burge Memorial Lecture, 1935

tions que ne le permet l'état actuel des choses. Aujourd'hui, il n'y a aucune sécurité dans le monde alors que toutes les nations seraient en sécurité si on était capable d'établir des lois que l'on saurait faire respecter !

Est-ce qu'une nation pourra essayer de convaincre d'autres nations de faire comme elle? Certainement. En utilisant le droit international à la liberté d'expression garanti par la constitution mondiale, les États-Unis seront libres de tenter de convaincre d'autres nations d'adopter leur système politique et économique; la Suède et l'Islande pourront essayer de persuader d'autres nations d'adopter une économie socialiste et l'Arabie Saoudite pourra choisir de recommander à d'autres nations d'utiliser la royauté. Quant à l'Union soviétique, elle pourra également utiliser son droit à la liberté d'expression sur le plan international pour promouvoir son propre mode de fonctionnement au niveau politique ou économique.

Vers une conscience planétaire (PlanetHood)

Les problèmes internationaux comme la pollution de l'air et des océans, la prévention des maladies, l'utilisation des ressources naturelles et le terrorisme exigent des solutions internationales. Dans le monde d'aujourd'hui nous sommes tous voisins. Il y a deux siècles, si vous montiez dans une diligence à huit heures du matin, et voyagiez jusqu'à six heures du soir, vous pouviez parcourir en moyenne soixante kilomètres par jour, et ce, par beau temps seulement! Le téléphone, la radio, la télévision ont rétréci le monde. En avion, on peut aller n'importe où en quelques heures. Grâce à la communication par satellite, on peut entendre et voir des événements se produisant partout dans le monde comme si cela se passait à notre porte.

Même si l'avenir de l'humanité n'était pas menacé par les armes nucléaires, un nouveau système mondial serait nécessaire malgré tout, pour que nous puissions offrir une vie

> La science a rendu la souveraineté nationale incompatible avec la survie de l'humanité. Les seules possibilités sont maintenant un gouvernement mondial ou la mort.
>
> Bertrand Russell
> Philosophe

plus riche et plus harmonieuse à nos enfants. Imaginons que les États-Unis soient divisés en cinquante pays souverains, séparés par des frontières *nationales*. Pour aller de San Francisco à New York par l'autoroute 80 (en supposant qu'il y ait une seule route I-80), il faudrait s'arrêter et se soumettre douze fois aux procédures douanières et d'immigration. Et il faudrait changer notre argent une douzaine de fois pour acheter ce dont nous avons besoin dans chacun des États-nations. Cela réduirait énormément la puissante vitalité que les États-Unis ont développée en tant que nation unique.

Lorsque les cent cinquante-neuf nations de la terre seront unies dans un système international, chaque aspect de nos vies en sera incroyablement enrichi, sans parler des centaines de milliards de dollars qui seront utilisés chaque année pour l'accroissement de la prospérité de tous plutôt que pour l'achat d'engins de guerre. Nous pouvons créer une ère nouvelle où chacun pourra bénéficier de possibilités nouvelles et intéressantes pour les affaires, d'un système scolaire élargi, de soins de santé accrus, d'une plus grande richesse culturelle et d'un environnement plus sain. Voilà ce que ce livre, *PLANETHOOD*, veut vous présenter.

Les huit étapes présentées dans ce livre donnent des moyens pour créer un monde exempt de guerre et de pénurie. Lors de la première étape nous avons insisté sur notre droit fondamental en tant qu'être humain : le droit de vivre dans un monde en paix sans que notre vie soit menacée en permanence par une guerre nucléaire.

> *Toute l'humanité serait reconnaissante à jamais envers la personne politique qui saurait provoquer l'émergence d'une nouvelle structure de société internationale.*
>
> Théodore Roosevelt
> Président des États-Unis.
> Lors de son acceptation du Prix Nobel
> de la Paix en 1910.

La seconde étape présente ce qui doit être fait : **réformer les Nations Unies** pour construire un système mondial muni de lois internationales, de tribunaux, et d'un système de mise en application des lois — **puis procéder au désarmement** de toutes les nations, de façon sécuritaire et pour toujours.

En réalisant ainsi cette coopération planétaire *(Planet-Hood)*, l'anarchie du «Far-West» international ne sera plus qu'un souvenir historique pittoresque. Nous aurons relevé le défi de notre époque, et nous aurons gagné! Nos enfants auront la promesse d'un avenir plus beau que ce qu'aucune génération ayant vécu sur cette planète n'ait pu espérer : libérés de la ruineuse course aux armements, les peuples de cette terre jouiront de plus de sécurité et de plus de richesses, et nous pourrons enfin réaliser notre destinée dans cet univers.

3e étape

Devenir
un Patriote
de la Paix

3e étape

Devenir un patriote de la Paix

AU COURS de la troisième étape, nous allons découvrir comment devenir un patriote de la paix. Nous y apprendrons comment suivre efficacement les traces de George Washington, et devenir un bâtisseur d'ordre et de paix où que nous soyions dans le monde. La troisième étape sera une véritable source d'inspiration et nous aidera à mieux comprendre ce qui doit être accompli pour sauver l'humanité.

En 1776, les colonies américaines réclamèrent leur indépendance de l'Angleterre. Sous les ordres du général George Washington, les Américains firent la Guerre d'Indépendance, battirent les Anglais, et c'était fait! Les États-Unis d'Amérique fonctionnaient comme une grande nation. Vrai? Non, faux!

A l'exception de quelques étudiants en histoire, la plupart des gens ne savent pas qu'après la Guerre d'Indépendance contre l'Angleterre, il n'existait pas de gouvernement des États-Unis d'Amérique. Il y avait seulement treize États souverains. Ils se rencontrèrent pour rédiger les «Articles de la Confédération et de l'Union perpétuelle» afin de se mettre d'accord sur quelques règles de base concernant leurs relations.

La première tentative

Il fallut cinq ans avant que les treize États-nations soient tous d'accord pour signer les Articles de la Confédération et de l'Union perpétuelle qui avaient été présentés au complet le 15 novembre 1777. En vertu de ces Articles, les États consentaient à ne pas signer d'alliance ni de traité avec une quelconque puissance étrangère de façon indépendante, à ne pas installer d'ambassades distinctes, à ne pas signer de traités mutuels sans le consentement des autres États, et à ne pas maintenir de forces armées, excepté une milice nécessaire au maintien de l'ordre intérieur. Pour qu'une loi soit adoptée, il était nécessaire qu'au moins neuf États aient voté en faveur de cette loi. Pour apporter une modification aux Articles, tous les États devaient être d'accord, à l'unanimité.

> *La notion qu'ont la plupart des gens concernant l'origine du gouvernement des États-Unis est que la Déclaration d'Indépendance et la constitution des États-Unis firent partie d'un seul et même processus historique. En fait, il y eut des années de détérioration et de désintégration après la fin de la Révolution. Les États-Unis ne sont pas nés en 1776 avec la Déclaration d'Indépendance, mais bien en 1787 lorsque la constitution américaine fut instaurée.*
>
> Norman Cousins
> Président de la World Federalist Association

Cependant, la coopération limitée qui existait pendant la guerre commença rapidement à se détériorer dès que la paix fut réalisée. Les ententes contenues dans les Articles étaient souvent ignorées par les États dès que cela faisait leur affaire. En vertu des Articles de la Confédération, il n'y avait pas de dirigeant au niveau exécutif, le Congrès continental n'avait pas le pouvoir d'édicter des lois obligatoires, et aucun tribunal n'avait le pouvoir de résoudre les conflits.

Il n'y avait aucune façon définie de payer les dépenses de la Confédération, sauf de demander à chaque État de payer sa part. Exactement comme les États-Unis et l'Union soviétique se sont conduits aux Nations Unies, les États coupaient les fonds avec mauvaise humeur quand les choses ne fonctionnaient pas à leur goût. «En 1786, relate John Fiske dans *The Critical Period of American History, 1783-1789*, à la suite du découragement général et du manque de confiance, tout commerce avait pratiquement cessé, et le charlatanisme politique, avec ses expédients minables et louches, régnait en maître.»

Les Articles de la Confédération ne prévoyaient pas que le gouvernement soit formé à partir d'un suffrage universel. Les nominations au Congrès continental, l'attribution de fonds, et la distribution des pouvoirs étaient organisés par les gouvernements des treize États, préoccupés principalement par leurs propres intérêts. Les politiciens nommés considéraient qu'ils représentaient uniquement les intérêts de leur propre État. Les ententes prises au sein des Articles de la Confédération étaient rarement respectées. L'action dans les situations critiques était bloquée par la peur d'offenser ou de s'aliéner un État. C'est pourquoi de sages politiques ou actions d'ensemble qui auraient pu corriger les infractions aux Articles n'étaient tout simplement pas entreprises pour des raisons «stratégiques».

> *La cause première de tous les désordres réside dans les différents gouvernements d'État et dans leur entêtement face au pouvoir qui s'infiltre dans tous leurs systèmes.*
> George Washington

La seule façon de faire respecter les ententes contenues dans les Articles de la Confédération était la menace de guerre. Cette situation ne ressemble-t-elle pas étrangement à ce qui se passe à l'ONU aujourd'hui?

Anarchie et chaos croissants

Étant donné que chacun des treize États-nations pouvait violer impunément n'importe quelle entente contenue dans les Articles, il n'était pas surprenant que les États-Unis d'Amérique commencent à tomber en morceaux. New York finança une grande partie de ses dépenses gouvernementales à l'aide de taxes imposées sur les marchandises provenant du Connecticut et du New Jersey, même si de telles taxes étaient formellement interdites par les Articles. Tout bateau de marchandises provenant des États du nord ou du New Jersey devait payer des droits d'entrée et passer aux douanes de New York, tout comme les bateaux en provenance de Londres ou de Hambourg. Le boycottage du Congrès par un État qui n'obtenait pas ce qu'il voulait était fréquent.

Le nombre de délégués présents était souvent trop bas pour permettre au Congrès de faire son travail. Celui-ci avait rarement de l'argent en banque et son crédit était limité de façon qu'il ne puisse pas emprunter.

> *Nous considérons ces vérités comme évidentes à savoir que tous les êtres humains sont créés égaux, qu'ils ont été dotés par leur Créateur de certains Droits inaliénables, dont en particulier le droit à la Vie, à la Liberté et à la recherche du Bonheur; qu'afin de protéger ces droits, les Gouvernements sont institués parmi les Hommes, tirant leurs justes pouvoirs du consentement de ceux qui sont gouvernés; que chaque fois qu'une forme de Gouvernement devient destructrice dans ses fins, il est du droit des personnes de la modifier ou de la faire disparaître, et d'instituer un nouveau gouvernement, basant ses fondations sur des principes tels et organisant son pouvoir de façon telle que cela exerce une action plus positive sur leur Sécurité et leur Bonheur.*
>
> Déclaration d'Indépendance, 1776

Il devint évident qu'avec les Articles, les États n'avaient créé qu'un traité d'alliance et un forum pour la communication, et non pas un gouvernement américain. Étant donné que le Congrès continental était totalement incapable d'exiger l'exécution de quoi que ce soit, il était simplement un lieu de rencontre et de réunion pour les treize États souverains, pas plus.

La situation se détériorait d'année en année. Les pêcheurs d'huîtres et de crabes du Maryland et de la Virginie se battaient entre eux au sujet des droits de pêche sur la rivière Potomac. La Pennsylvanie et le Delaware, qui utilisaient aussi cette voie d'eau pour le transport, ajoutèrent de l'huile sur le feu. Soumis aux Articles de la Confédération, le Congrès continental fut impuissant à régler ce problème relativement mineur de la «guerre des huîtres».

Un traité de paix avec l'Angleterre fut ratifié séparément par la Virginie en violation des Articles, comme si la signature par le Congrès continental n'était pas suffisante! Certains États avaient emprunté de l'argent à l'étranger, et essayaient encore d'en emprunter, comme l'auraient fait des nations indépendantes. Neuf États, depuis le Massachusetts jusqu'à la Caroline du Sud, avaient leur propre flotte, et tous les États considéraient leur milice comme une armée nationale. Alors qu'en vertu des Articles, seul le Congrès avait le droit de frapper de la monnaie, il n'a jamais frappé une seule pièce de monnaie américaine! En violation directe des Articles, sept États imprimaient du papier-monnaie. Et comme le papier-monnaie était souvent considéré sans valeur, le troc était courant. Isaiah Thomas, éditeur du *Spy* de Worcester, annonçait que l'on pouvait payer un abonnement à son journal avec du porc salé.

Lorsqu'en 1781 le Congrès essaya de se procurer de l'argent pour son Trésor vide, en établissant une taxe de 5% sur les biens importés, les représentants de New York refusèrent, car ils voulaient continuer à percevoir de l'argent des États voisins par leur propre système de taxes. Ne disposant pas de bons ports, le New Jersey devait envoyer ses exportations par New York ou par Philadelphie et payer des taxes dans les deux cas. Benjamin Franklin disait que le New Jersey était

> *Certains pensent qu'il n'y aura plus de guerre seulement lorsque le cœur de tous les gens aura changé et désirera la paix. Pourtant, notre gouvernement ne fut pas formé seulement après que tous les habitants des treize États originaux furent devenus des saints. Au contraire, il fut formé pour pouvoir contrôler les personnes de mauvaise volonté, pour organiser des règles à partir desquelles les gens pourraient fonctionner ensemble, empiétant le moins possible sur la liberté de chacun, et pour fournir des institutions qui soient en mesure de régler les conflits entre les États et entre les personnes. Notre travail aujourd'hui est de porter ce même concept à un niveau plus haut, de façon qu'une fédération mondiale puisse fournir les institutions nécessaires au règlement des conflits entre pays et entre personnes.*
>
> Tom A. Hudgens
> *Let's Abolish War*
> (Abolissons la guerre)

> *L'argent d'un citoyen ordinaire perdrait dix pour cent de sa valeur lorsque ce dernier traverserait la frontière d'un État. Ainsi, un citoyen qui aurait quitté le New Hampshire avec cent dollars dans sa poche ne posséderait plus que vingt dollars et vingt-quatre cents en arrivant en Georgie, et cela sans avoir dépensé un seul sou.*
>
> Norman Cousins
> *World Federalist Bicentennial Reader*
> (Préface)

comme «un tonneau percé des deux côtés». C'était le chaos.

Le Connecticut vota une loi procurant des avantages à ses manufacturiers et à ses commerçants sur les industries de New York et du Massachusetts. Comme le décrit Clarence Streit dans *Union Now* : «... c'était l'époque où New York protégeait ses intérêts dans les combustibles en taxant le bois en provenance du Connecticut, et protégeait ses propres fermiers en faisant payer des droits sur le beurre du New Jersey; une époque où le Massachusetts fermait ses ports aux bateaux de commerce britanniques alors que le Connecticut leur ouvrait les siens; où Boston boycottait le grain du Rhode Island et où Philadelphie refusait d'accepter la monnaie du New Jersey; une époque où la monnaie du Connecticut, du Delaware et de la Virginie était bien cotée, alors que celles des autres États étaient plus ou moins dépréciées, et celle du Rhode Island et de la Georgie tellement dévaluée que leurs gouvernements cherchèrent à forcer leurs citoyens à l'accepter. C'est à cette époque que l'État de New York concentra des troupes le long de sa frontière avec le Vermont, alors que l'armée de l'État de Pennsylvanie commettait les atrocités du «massacre de Wyoming» contre les «colons du Connecticut».

En 1786, un grand nombre de personnes habitant dans les États de la Nouvelle-Angleterre menacèrent de quitter l'Union et de former leur propre confédération. Il n'est pas surprenant que Vernon Nash écrive dans *The World Must Be Governed* (Le monde doit être gouverné) : «Pour rivaliser avec les façons d'agir imbéciles et le très bas niveau des débats pleins de grognements que nous trouvons au Conseil de Sécurité de l'ONU, nous ne pouvons que nous référer aux procès-verbaux du Congrès continental. Les réunions de ce groupe n'avaient pas plus de poids que les assemblées de chacune de nos organisations modernes (la Société des Nations et les Nations Unies). Après la Guerre d'Indépendance, le Congrès continental subit le même sort que nos deux forums mondiaux : le respect qu'on lui témoignait diminua, jusqu'à devenir inexistant, autant à l'intérieur qu'à l'étranger.»

Après quatre années d'agitation à travers tout le pays, alors qu'on fit appel aux troupes plusieurs fois dans différents États pour maintenir l'ordre, et que la guerre civile fut évitée de justesse au moins une demidouzaine de fois, l'avenir semblait bien sombre. George Washington craignait fort que les États-Unis, après avoir gagné la guerre, ne finissent par se déchirer en morceaux en temps de paix. Il écrivait à John Jay en juin 1786 : «Je suis soucieux et inquiet, bien plus que pendant la guerre ellemême.»

La Convention constitutionnelle

Perturbée par des conflits qui s'envenimaient, la Virginie proposa une réunion à Annapolis en septembre 1786 afin de discuter du règlement du commerce entre les États. Les délégués furent incapables de se mettre d'accord sur quoi que ce soit, excepté pour se rencontrer à nouveau à Philadelphie le deuxième lundi du mois de mai suivant. Ceci devint la célèbre Convention constitutionnelle de 1787. Le Congrès continental autorisa cette

> *Au milieu de ce chaos, cinquante hommes se réunirent à Philadelphie pendant l'été de 1787, et élaborèrent un document fournissant la structure d'un gouvernement pour un pays qui, par la suite, fut celui qui réussit le mieux dans le monde.*
>
> *The Economist*

réunion «à seule fin de révision des Articles de la Confédération, les modifications effectuées devant être rapportées ensuite au Congrès et aux corps législatifs des différents

États, afin qu'une fois approuvées par le Congrès et par les États, elles rendent la constitution fédérale mieux adaptée aux exigences des gouvernements et au maintien de l'Union».

Les délégués se trouvaient confrontés à une tâche apparemment impossible. Ils avaient peur qu'un roi prenne le pouvoir et les ramène exactement dans la même situation où ils se trouvaient avant la Guerre d'Indépendance (tout comme nous sommes morts de peur qu'un gouvernement mondial soit saisi par un dictateur). Les treize États ne voulaient pas non plus lâcher le contrôle sur leurs propres affaires. Et cependant,

> *En 1787, une nouvelle nation naissante avait besoin d'unité plus que de toute autre chose... En 1987, c'est le monde entier qui a besoin de cette unité.*
>
> Père Théodore Hesburg
> Ex-Président, Université
> Notre Dame.

étant donné la façon dont les choses se déroulaient, ils devaient constamment faire face aux conflits et à la guerre. Les gouvernements qui avaient été institués jusqu'alors dans l'histoire de la civilisation étaient tombés soit dans l'impuissance, soit dans la tyrannie. Vous pouviez choisir votre poison, il n'y avait pas moyen de s'en sortir. Ou du moins, c'est ce qu'il semblait.

Durant cet été de 1787, les Pères Fondateurs de la nation américaine réunis à Philadelphie n'avaient aucune idée de ce qui pouvait être fait, et pourtant il fallait absolument faire quelque chose! Le plus gros problème qui se posait alors était d'éviter de répéter les erreurs du passé. Le délégué de la Pennsylvanie, James Wilson, observait : «Il y a deux types de mauvais gouvernements : celui qui en fait trop et devient oppressif, et celui qui n'en fait pas assez, et est alors inefficace.» Comment trouver la fine ligne de démarcation entre trop de pouvoir et pas assez? Comment préserver la spécificité de chaque État, et avoir en même temps un gouvernement général capable d'assurer le bien commun? Comment équilibrer les droits des minorités et ceux des majorités? Comment garantir la liberté individuelle au maximum, et que ceci soit compatible avec le bien commun? Comment organiser les choses assez intelligemment pour que les gens *choisissent de régler leurs conflits devant un tribunal plutôt que sur un champ de bataille?*

Ils connaissaient bien le problème du pouvoir. Il avait été démontré maintes fois tout au cours de l'histoire que la brutalité, le mépris des droits de la personne et le gaspillage des ressources financières causés par les guerres étaient le coût d'un pouvoir national tout-puissant, qui pouvait imposer ses décisions indépendamment de la volonté du peuple.

> *Il a été clairement perçu par les hommes d'État qui élaborèrent la constitution, et par ceux qui l'adoptèrent, que bien des droits de souveraineté possédés par les différents États devraient être cédés au Gouvernement général...*
>
> Taney, Juge en chef
> Cour suprême des États-Unis

Et pourtant, le faible gouvernement qu'ils avaient constitué avec les Articles de la Confédération était totalement impuissant et ignoré.

Y avait-il une solution à ce dilemme? Était-il possible d'avoir un gouvernement qui ne tomberait pas dans les pièges de l'inefficacité ou de la dictature? Et si un tel gouvernement arrivait à se former, quel type d'interactions pourrait-il avoir avec les États déjà existants? Si les États-nations devaient être sous la tutelle d'un gouvernement national suprême, ne risquait-on pas encore une fois de retourner en guerre quand les États n'arriveraient pas à s'entendre entre eux? L'utilisation de la force armée contre un État risquait d'être considérée de nouveau comme une déclaration de guerre, et non pas comme une pression pour arrêter l'infraction commise contre une loi. Cela pourrait être considéré par l'État-nation attaqué comme une annulation des engagements pris antérieurement, engagements qui auraient pu l'empêcher de partir lui-même en guerre.

John Fiske exprime clairement le problème qui se pose lorsqu'on doit agir face à un État-nation qui transgresse la loi : «Quand un individu défie la loi, on peut l'enfermer en prison ou imposer une amende sur ses biens.

La force énorme de la communauté s'élève contre lui et il est aussi impuissant qu'un brin de paille au milieu de l'océan. Il ne peut pas former une armée pour se protéger. Mais quand la loi est défiée par tout un État, c'est une toute autre affaire. On ne peut pas mettre un État en prison, ni saisir ses biens; on ne peut que lui faire la guerre, et si vous décidez d'agir ainsi, vous vous apercevrez que l'État n'est pas impuissant face à cette agression. L'orgueil et les préjugés locaux s'élèvent contre vous, et les forces armées de l'État se dressent en bloc pour soutenir l'infraction à la loi.»

> ... Je n'ai pas de désir plus ardent, dans toute cette affaire, que de trouver quel genre de gouvernement va être le meilleur pour nous diriger. Il est certain qu'il va y avoir des opinions très différentes sur ce sujet si important; et pour que notre jugement s'appuie sur de bonnes bases, il est nécessaire de bien écouter tous les arguments qui peuvent être avancés. Contenter tout le monde est impossible et ce serait une vaine tentative que d'essayer de le faire. Par conséquent, considérant les nombreux aspects sous lesquels la question peut être perçue, ainsi que les différentes circonstances, habitudes, etc., la seule façon pour former un tel gouvernement est, tout en gardant un regard critique aigu, de faire confiance au bon sens et au patriotisme des personnes qui vont en avoir la charge. Les démagogues, ceux qui refusent de lâcher l'un quelconque de leurs privilèges d'État (et qui ne recherchent que leur propre intérêt), s'opposeront, de toute façon, à n'importe quelle forme de gouvernement général. Mais regardons tout ceci clairement, et la justice, nous l'espérons bien, l'emportera finalement.
>
> George Washington
> Le 1er juillet 1787

Comment un gouvernement global peut-il effectivement soutenir les gouvernements des différents États, garantir à ces derniers la possibilité de prendre leurs propres décisions à propos de leurs affaires intérieures, maintenir un pouvoir général capable de faire respecter les lois pour le bien de tous les États-nations, et en même temps rester aussi sensible que possible à la volonté des gens? Comment organiser un gouvernement global qui apporterait un surplus *de prospérité et de protection* aux droits individuels de chacun?

Des questions difficiles

Quand George Washington, le 25 mai 1787, ouvrit la première session de la Convention constitutionnelle, nombreux étaient ceux qui doutaient que quoi que ce soit puisse être réalisé, compte tenu des instructions rigides données par les différents États à leurs délégués. Par exemple, il était interdit aux délégués du Delaware d'accepter la moindre modification au système de vote égal dont tous les États avaient pu jouir jusqu'à présent au Congrès continental.

Les délégués réalisèrent rapidement qu'on ne pouvait résoudre les problèmes de l'Amérique par une simple révision des Articles. Quelque chose d'autre, de plus fondamental, était nécessaire; un simple rafistolage ne ferait pas l'affaire. Il revenait aux génies politiques rassemblés à Philadelphie *de créer un nouveau système de gouvernement* qui pourrait diriger le bateau de l'État en toute sécurité au milieu des écueils de l'inefficacité et des récifs du pouvoir. Le délégué Randolph déclarait : «Quand le salut de la République est en jeu, ce serait une trahison de notre part de ne pas proposer ce que nous percevons comme nécessaire.»

George Washington savait que les délégués devraient aller bien au-delà des instructions qu'ils avaient reçues de leur gou-

> *Vue à travers les enregistrements, la Convention fédérale commençait à neuf. L'esprit présent était implicitement celui de compromis, et apparemment il n'y avait pas là de fier drapeau pour rallier le monde. Le mot compromis peut être un bien vilain mot signifiant pacte avec le diable, un amoindrissement de ce qu'il y a de meilleur pour satisfaire le pire. Cependant, lors de la Convention constitutionnelle, l'esprit de compromis régna avec grâce et dans la gloire; alors que Washington présidait, cet esprit était présent sur ses épaules comme une colombe de la paix. Des hommes se levaient pour parler et on pouvait les voir lutter avec des partis pris sur leurs droits, leur localité, leur appartenance à l'État, le Sud contre le Nord, l'Est contre l'Ouest, les commerçants contre les planteurs. On les voyait aussi changer d'avis, lutter contre leur orgueil, et lorsque cela était approprié, admettre leurs erreurs.*
>
> Catherine Drinker Bowen
> *Miracle at Philadelphia*

vernement, et qu'ils devraient penser d'une façon complètement nouvelle pour trouver des réponses qui sauveraient
leur rêve des États-Unis. «Il est bien possible qu'aucun des
plans que nous proposons ne soit accepté, dit-il à quelques
délégués. Peut-être faudra-t-il mener une autre lutte terrible.
Si, pour satisfaire certaines personnes, nous proposons ce
que nous-mêmes désapprouvons, comment pourrons-nous
par la suite défendre notre travail? Présentons des propositions auxquelles les personnes sages et honnêtes pourront se
rallier. Le résultat est entre les mains de Dieu.»

Il y avait désaccord sur presque toutes les questions. Il
fallut beaucoup de patience et d'habileté pour écouter
chacun et pour comprendre les différents points de vue.
Les délégués prenaient soin de maîtriser leurs émotions et de
remettre à plus tard les décisions concernant les problèmes
les plus délicats qui auraient pu faire échouer la Convention.
Ils travaillèrent jour après jour, ralentis par des désaccords
permanents. Ils étaient fermement déterminés à construire
un gouvernement unifié. L'ouvrage *The Great Rehearsal* (La
Répétition générale) de Carl Van Doren décrit les fasci-
nantes divergences d'intérêts avec lesquelles les délégués
ont dû jouer. Van Doren considère la Convention comme
une «répétition générale» du processus dont nous avons
besoin aujourd'hui pour créer le palier final d'un gouvernement international qui donnera à l'humanité l'assurance
d'un avenir sécuritaire sur cette planète.

La Convention faillit s'écrouler sous la pression des
demandes contradictoires d'une part des petits États qui exi-
geaient un droit de vote égal au Congrès, et d'autre part des
grands États qui réclamaient une représentation proportion-
nelle à la population. L'État de New York comptait au-delà
de trois cent mille résidents, alors que le Delaware en avait
moins de soixante mille. Et le Delaware ne voulait pas
courir le risque de subir les conséquences d'une majorité des
voix contre lui !

La solution semble bien évidente pour nous maintenant, après coup. Mais à cette époque, il fallut faire preuve

de beaucoup d'intelligence créatrice et accepter de bien vouloir faire des compromis pour trouver une solution à cette situation, qui paraissait alors inextricable. Car, en fait, comment peut-on donner du pouvoir à la fois aux grands États et aux petits, et maintenir un gouvernement qui soit efficace? C'est Roger Sherman, du Connecticut, qui vint à la rescousse avec la suggestion qu'il y ait deux chambres du Congrès. Il fut décidé, en fin de compte, que le nombre de représentants à la Chambre serait proportionnel à la population de chaque État, et que le Sénat comprendrait deux sénateurs de chaque État, indépendamment de la taille de ce dernier, ce qui mettait tous les États à égalité. «L'impossible» avait été accompli, grâce au *compromis*.

Le compromis mène au succès

Les délégués soutenaient fermement des positions complètement opposées sur la question de l'esclavage et du commerce des esclaves en provenance de l'Afrique. Le 22 août, George Mason se leva et condamna ce trafic abominable. Il déclara plus tard : «L'augmentation du nombre d'esclaves affaiblit les États; un tel commerce est diabolique en lui-même et honteux pour l'humanité. Pourtant, de par cette constitution même, ces activités se perpétuent... Il est certainement très important pour moi que nous réalisions l'unité de tous les États, mais je n'admettrai jamais les États du Sud (Caroline du Sud et Géorgie) au sein de cette union, à moins qu'ils ne cessent ce commerce honteux...» George Washington, Benjamin Franklin et la plupart des délégués des États du nord étaient d'accord avec lui.

Charles Pinckney répondit pour la partie adverse : «La Caroline du Sud n'acceptera jamais le projet s'il interdit le commerce des esclaves.» Il faisait remarquer que l'esclavage était «justifié par des exemples partout dans le monde». Il citait la Grèce, Rome et d'autres peuples anciens; et il déclara avec véhémence et de façon irrévocable que la Caroline du Sud et la Géorgie ne pouvaient se passer d'esclaves.

C'était une question extrêmement difficile et apparemment insoluble qui menaçait de détruire tout le travail réalisé pour arriver à l'acceptation de la constitution américaine par les treize États-nations. Devait-on scinder les États-Unis en deux ou même trois confédérations distinctes? Ou bien, dans l'intérêt du renforcement d'une union commune, devait-on permettre ce honteux trafic d'esclaves? Plutôt que de voir leur rêve des États-Unis d'Amérique voué à l'échec à cause de ce problème ou de n'importe quel autre, les délégués choisirent de mener à bon terme *les meilleurs accords possibles* à ce moment, et de laisser quelques problèmes à résoudre pour plus tard. Comme John Fiske l'a exprimé, ils décidèrent d'avoir «une seule union fédérale puissante et pacifique plutôt que de se trouver morcelés en quarante ou cinquante petites communautés, dissipant leur force et minant leur moral par un perpétuel état de guerre... Il ne fait pas de doute que l'esclavage et tout reste de barbarisme persistant dans la société américaine se seraient développés bien davantage et avec encore plus de force dans un état d'anarchie chronique que cela n'a été possible sous la constitution.»

> *La constitution qui est maintenant présentée n'est pas exempte d'imperfections. Mais elle contient le minimum de défauts auxquels on pouvait s'attendre étant donné la masse hétérogène avec laquelle on devait composer et la diversité des intérêts qui devaient être considérés. Puisqu'une porte constitutionnelle est ouverte pour de futurs amendements, je pense qu'il serait sage maintenant d'accepter ce qui est offert.*
>
> George Washington
> Lors de la signature de la
> constitution américaine

La question de l'esclavage fut résolue plus d'un demi-siècle plus tard, sous l'administration du Président Lincoln, par une malheureuse guerre civile entre les États du sud et ceux du nord. Pourtant, il est fort probable que sans ce compromis qui permit au gouvernement fédéral d'être formé, la violence *causée par ce problème et par beaucoup d'autres* qui se posaient alors à ces treize États-nations fiers et agressifs aurait apporté beaucoup plus de souffrances et de malheurs au cours des années, *pour les Blancs autant que pour les Noirs*. Les fondateurs de la nation américaine *ne voulaient pas tout perdre* en exigeant immédiatement tout ce qu'ils auraient souhaité individuellement.

Au cours d'un désaccord, il est facile de durcir ses positions de telle sorte qu'il devienne absolument impossible de négocier, et on peut se sentir fier de frapper sur la table avec l'indignation et la colère du «juste». Mais quand nous nous conduisons de cette façon, nous détruisons nos chances de travailler ensemble au bien commun. Nombreux sont ceux qui pensent maintenant qu'aucune difficulté ne doit nous empêcher de créer une fédération mondiale qui pourrait sauver l'humanité d'un holocauste nucléaire.

> *L'intolérable anarchie qui était la conséquence immédiate de l'exercice d'une souveraineté autonome de la part des treize États amena nos aïeux à chercher à s'unir. La plupart d'entre eux avancèrent dans cette direction avec crainte, à contrecœur, et souvent même avec répugnance.*
> Vernon Nash
> *The World Must Be Governed*

Une fois que nous aurons formé un tel gouvernement, nous aurons un excellent véhicule pour protéger les droits de la personne humaine sans avoir besoin de mettre la planète à feu et à sang.

Le travail final

Ainsi, jour après jour, pendant ce long et brûlant été, les délégués continuèrent leur difficile travail, essayant de déceler la frontière subtile entre le trop et le pas assez. Ils se mirent d'accord sur la façon de prélever des taxes, de définir une monnaie appropriée, et de signer des traités avec l'étranger. Ils limitèrent le pouvoir des trois sections du gouvernement central par un système ingénieux de contrôle et d'ajustement. Étant donné que selon les Articles de la Confédération il n'était pas prévu de chef exécutif, les pouvoirs limités du Président furent soigneusement organisés.

Les fonctions du Sénat, de la Chambre des Représentants, et de la Cour suprême furent également bien spécifiées. La Constitution ne pourrait entrer en vigueur que lorsque neuf États l'auraient ratifiée. Tout ceci, ainsi que d'autres détails de cette superbe invention politique, fut finalement résumé en sept articles.

> *La constitution que nous présentons maintenant est le résultat de l'état d'esprit de concorde, de respect mutuel et de concession que les particularités de notre situation politique exigeaient.*
>
> George Washington
> Lors de la présentation de la constitution au Congrès continental

Pour aucun des participants à la Convention, le produit fini n'était entièrement satisfaisant. Benjamin Franklin, qui était considéré comme l'un des plus sages philosophes et des plus grands savants de l'époque, exprima le sentiment de la plupart des délégués de cette Convention constitutionnelle en déclarant : «Je reconnais qu'il y a plusieurs parties de cette constitution que je n'approuve pas pour le moment...» Franklin, qui était aussi un maître dans l'art d'aider les gens à passer du conflit à l'unité, ajouta :

... Mais je ne suis pas sûr que je ne les approuverai jamais. Pour avoir vécu longtemps, j'ai expérimenté bien des situations où après de plus amples informations ou une plus profonde réflexion, j'ai dû changer mes opinions, même sur des sujets importants, opinions que je pensais être parfaitement justes sur le moment, mais qui plus tard s'avérèrent incorrectes. C'est pourquoi plus j'avance en âge, plus je deviens capable de douter de mes propres jugements, et plus j'accorde de respect au jugement des autres. A vrai dire, la plupart des êtres humains, tout comme la plupart des groupes religieux, pensent qu'ils sont en possession de toute la vérité, et que si les autres diffèrent de leurs propres opinions, c'est que ces derniers sont dans l'erreur... Même si beaucoup de gens croient très fortement en leur propre infaillibilité, peu l'expriment aussi directement que cette dame française qui, lors d'une dispute avec sa sœur, déclara : «Je ne comprends pas comment cela se fait, chère sœur, mais je ne rencontre personne d'autre que moi qui ait toujours raison.» *Il n'y a que moi qui ai toujours raison.* Dans cet état d'esprit, Messieurs, j'approuve cette constitution avec toutes ses faiblesses, si tant est qu'il y en ait....

Franklin résumait toute l'affaire de façon éloquente en déclarant : «Messieurs, j'accepte cette constitution, parce que je n'espère rien de mieux, et parce que je ne suis pas sûr que l'on puisse faire mieux. Les considérations que j'ai au sujet de ses faiblesses, je les sacrifie pour le bien public...»

Les hésitations qu'ont nos politiciens d'aujourd'hui à soutenir un système de lois internationales et de maintien de l'ordre qui devrait être respecté au niveau mondial sont compréhensibles. Carl Van Doren nous dit : «Pas un seul des délégués sur le point de signer ne pouvait être vraiment sûr que le projet serait accepté par la convention de son propre État, ou serait mis en pratique. Il pouvait avoir perdu son temps et ses efforts. Il était possible qu'en présentant ces nouvelles propositions, il suscite des inimitiés politiques qui pourraient mettre fin à sa propre carrière publique. Aussi minime qu'ait été sa contribution, il ne pouvait pas prévoir comment le fait d'avoir signé cette constitution pourrait faire qu'on se rappellerait de lui dans l'avenir, comme de l'un des Pères Fondateurs de son pays.»

Lors de ce fameux lundi 17 septembre 1787, la constitution des États-Unis d'Amérique fut signée par chacune des délégations d'État présentes. Parmi ceux qui étaient présents, seuls le gouverneur Randolph et le colonel Mason de Virginie, ainsi que Elbridge Gerry du Massachusetts, refusèrent de signer individuellement. Il est intéressant de remarquer que Gerry devient par la suite l'un des représentants au premier Congrès de cette nouvelle nation et qu'il fut vice-président durant le mandat de Madison, et que Randolph occupa les postes de Procureur général et de Secrétaire d'État durant le mandat de Washington.

L'approbation par la population

La Convention de Philadelphie envoya sa proposition de constitution au Congrès continental de New York, qui l'envoya au corps législatif des différents États. Ceux-ci convoquèrent les conventions d'État qui devaient décider si la population était en faveur de ce nouveau système de gouvernement.

Patrick Henry n'apprécia pas du tout. (On se rappellera qu'il souleva les gens dans l'esprit des années 76 avec son célèbre « La liberté ou la mort».) Il prédit qu'en vertu de cette nouvelle constitution, une religion d'État serait établie et que les habitants du Kentucky allaient perdre leur droit de navigation sur la rivière du Mississippi. Mason attaqua la réputation des délégués de la constitution, les traitant de «vauriens» et de «fous», de «bande de brigands», et de «pourchasseurs de bons emplois, rien de moins».

George Washington écrivait, dans une lettre à Lafayette datée du 7 février 1788 : «Il me semble, maintenant, que cela ne peut être que par miracle que des délégués provenant d'États si nombreux et si différents dans leurs manières, leurs habitudes et leurs préjugés arrivent à s'unir pour former un système de gouvernement national...» Les partisans de la nouvelle constitution fédérale durent faire face à une bataille difficile.

Un futur président, Monroe, et les pères de deux futurs présidents, Harrison et Tyler, combattirent la ratification.

Les signataires de la constitution n'abandonnèrent pas leur enfant pour autant, mais travaillèrent assidûment au niveau des États pour assurer la ratification. Hamilton et Madison (avec l'aide de John Jay) publièrent une série de quatre-vingt-cinq essais intitulés *The Federalist*. Ces derniers étaient tous signés «Publius». Ils étaient repris par les journaux, et les questions étaient énergiquement débattues par tous, étant la grande controverse du temps.

Alors qu'il travaillait à la ratification, Hamilton fut accusé d'être trop cynique quand il déclara que les engagements solennels des États ne valaient rien en eux-mêmes. Il rétorqua : «Pour assurer le maintien de l'ordre intérieur, devons-nous uniquement nous fier à la parole d'individus nous promettant qu'ils vont se conduire correctement?» Puis il déclara gravement :

«Finalement, pourquoi le gouvernement a-t-il été constitué? Parce que les passions des hommes ne se soumettront pas aux exigences de la raison et de la justice sans une certaine contrainte. A-t-on déjà vu un groupe d'individus agir avec plus de droiture et de désintéressement que des individus séparés? La conclusion contraire a plutôt été tirée par tous ceux qui ont observé de près la conduite de l'être humain.»

> *Alors que les derniers membres finissaient de signer, le Dr Franklin, dirigeant son regard vers la chaise du président derrière laquelle était peint un lever de soleil, fit observer à quelques membres proches de lui que les peintres semblaient trouver bien difficile d'exprimer la différence entre un lever et un coucher de soleil. Tout au long de cette session, dit-il, ... et lors des vicissitudes de mes espoirs et de mes peurs face à son issue, j'ai souvent regardé cette peinture derrière le président, sans savoir s'il s'agissait d'un lever ou d'un coucher de soleil. Mais maintenant, enfin, j'ai le bonheur de savoir que c'est un lever, et non un coucher de soleil.*
>
> James Madison,
> septembre 1787
> Délégué à la Convention
> constitutionnelle

Avant la rencontre de Philadelphie, le Delaware avait demandé à ses délégués de ne rien accepter d'une constitution qui ne lui donnerait pas un droit de vote égal à celui des autres États. Le 7 décembre 1787, le Delaware fut le premier État à signer, rapidement et sans un seul vote dissident! Lorsque la convention de l'État de Pennsylvanie se réunit pour considérer la ratification, elle reçut la nouvelle que le Delaware venait de signer. L'un des délégués, Smilie, commenta aigrement le fait en disant qu'au Delaware «revenait l'honneur d'avoir été le premier à avoir bradé la liberté de son peuple». La majorité des délégués, cependant, pensaient que les droits de la Pennsylvanie à la liberté et à la prospérité futures seraient beaucoup mieux protégés si elle faisait partie de l'union fédérale. Ils votèrent pour la ratification de la constitution quatre jours seulement après le Delaware !

Suivirent le New Jersey, la Georgie, le Connecticut, le Maryland, et la Caroline du Sud. Le 21 juin 1788, le New Hampshire fut le neuvième État à signer, complétant ainsi le nombre nécessaire pour que le nouveau gouvernement fédéral puisse entrer en fonction. Quatre jours plus tard, la Virginie signa par une majorité de dix votes et New York par une majorité de trois votes seulement. Le 2 août 1788, la Caroline du Nord refusa la nouvelle constitution mais un an et demi plus tard elle changea d'avis. Elle se joignit à l'Union le 21 novembre 1789.

L'État du Rhode Island était déchiré par un conflit entre les citadins et les fermiers. Il n'avait même pas envoyé de délégués à la Convention constitutionnelle de 1787. Après que le gouvernement fédéral eut fonctionné pendant deux ans, le Sénat avertit les États qu'il rompait les relations commerciales entre les États-Unis et le Rhode Island. Ce dernier réalisa finalement

> *A partir du moment où ce plan sera mis en action, toute autre considération devra être mise de côté, et la grande question restera : y aura-t-il un gouvernement national ou non? Et ceci devra se faire, sinon ce sera l'anarchie générale comme seule autre alternative.*
>
> Gouverneur Morris, 1787
> Délégué à la Convention
> Constitutionnelle.

qu'il ne pouvait pas fournir seul autant de sécurité et de prospérité à sa population qu'il ne pouvait en obtenir s'il se joignait à l'Union fédérale. Avec une marge de deux votes seulement, trois ans après la Convention constitutionnelle, le 29 mai 1790, il ratifia la constitution des États-Unis. Les treize États-nations originaux étaient alors réunis pour créer un gouvernement fédéral qui permit à chaque État individuel de s'épanouir en paix! A la demande pressante de citoyens de plusieurs États, les dix premiers amendements à la constitution (Bill of Rights) furent rapidement signés.

Le chemin est libre

Carl Van Doren explique dans *The Great Rehearsal* (La Répétition générale), qu'«en 1787, le problème était de savoir comment les gens pourraient apprendre à penser nationalement, et non localement, à propos des États-Unis». Le problème aujourd'hui est de savoir comment les gens peuvent apprendre à *penser internationalement, et non uniquement nationalement, à propos du monde*. Cette idée va certainement soulever de l'opposition. Certains vont la qualifier de naïve, d'idéaliste ou de prématurée. Ce sont ces mêmes résistances que les Pères Fondateurs durent vaincre, et nous pouvons les vaincre également.

Certains soutiennent que la création d'un congrès, d'un corps exécutif et de tribunaux à l'échelle mondiale est bien plus difficile que cela ne pouvait l'être, il y a deux cents ans, dans le monde plus simple de nos aïeux. C'est peut-être vrai, mais il ne faut pas oublier que **nos moyens techniques de communication et notre capacité de résoudre des problèmes complexes sont maintenant infiniment plus développés qu'alors.** L'impérieuse urgence du besoin mondial va certainement pouvoir renforcer notre inspiration et notre détermination pour vaincre tous les obstacles.

Les défis auxquels l'Amérique faisait face alors durent paraître aux gens de l'époque aussi grands que les nôtres peuvent nous paraître maintenant. Le patriote Tom Paine notait que les treize colonies étaient «constituées de gens de différentes nations, accoutumés à différentes formes et habitudes gouvernementales, parlant des langues différentes, et qui étaient encore plus différents dans leurs habitudes religieuses». La Pennsylvanie et le Delaware respectaient la liberté religieuse des catholiques, alors qu'au Rhode Island ces derniers n'avaient pas le droit de vote, et qu'au Massachusetts, les prêtres catholiques étaient passibles d'emprisonnement à vie! Il n'existait pas de système de taxes ou de système monétaire commun, et des restrictions de commerce et de voyage entre les États limitaient les échanges. Certains

États s'appuyaient sur l'esclavage pour leur existence, alors que d'autres percevaient cette pratique comme une abomination. C'était les libéraux contre les conservateurs, le Nord contre le Sud, l'Est contre l'Ouest, les planteurs contre les commerçants, et une religion contre une autre. Certains États envisageaient la guerre entre eux!

> *Il y eut des moments, durant la Convention de 1787, où il semblait que les exigences des États individuels, dans leur esprit nationaliste américain, seraient insurmontables. Mais la Constitution américaine a prouvé qu'aucune des «nations» américaines n'avait, en fait, d'intérêt plus vital que celui de l'Amérique fonctionnant comme un tout.*
>
> Lloyd Graham
> *The Desperate People*

Et pourtant, malgré toute cette diversité, il y a deux siècles les patriotes construisirent la constitution en cent jours ouvrables environ (du 25 mai au 17 septembre). Depuis le moment de sa conception, le 17 septembre 1787, jusqu'à sa naissance officielle le 21 juin 1788, il suffit de neuf mois pour que cette république fédérale soit conçue et mise au monde! Et dans ce temps-là, il fallait trois semaines pour se rendre de Philadelphie à Atlanta! Et le téléphone n'existait pas!

La solution fédérale

Les Pères Fondateurs accomplirent cette grande union en formant un gouvernement qui *honorait* les treize États-nations et les unissait entre eux, plutôt que de s'opposer à eux comme à des délinquants indisciplinés qui devaient être punis lorsqu'ils sortaient des rangs. Ils réalisèrent cela en laissant à chaque État-nation la responsabilité de presque toutes les décisions affectant leurs propres citoyens. Étant donné que la population de chaque État avait déjà sa propre législature, il appartenait aux électeurs de faire en sorte d'obtenir le gouvernement d'État qu'ils désiraient. Puis, en créant le niveau supplémentaire du gouvernement fédéral qui se chargerait de régler les problèmes nationaux ne pouvant être réglés par les États individuellement, ils minimisèrent le risque de conflits entre États. Le gouvernement national pouvait prendre des décisions qui demandaient la coopération de chaque État pour soutenir les activités servant le bien commun, et les faire respecter.

C'est là le prochain pas que nous devons accomplir pour assurer la survie du monde aux prises avec l'anarchie et le désordre international d'aujour-

> *L'idée de fédéralisme, que nos Pères Fondateurs appliquèrent dans cet acte historique de création politique au XVIIIe siècle, peut être appliquée au cours de notre XXe siècle dans le contexte plus large d'un monde de nations libres, si seulement nous sommes capables d'égaler nos aïeux dans leur courage et leur vision.*
>
> Nelson A. Rockefeller
> *The Future of Federalism*

d'hui. Cette invention politique a été testée par les États-Unis pendant plus de deux cents ans, et elle a été copiée par des douzaines d'autres pays dans le monde.

En résumé

A notre façon, *nous devons adapter* cette invention politique de base à notre monde d'aujourd'hui. Pour cela, nous examinerons la quatrième étape (présentée dans le chapitre suivant), qui montre l'énorme progrès que nous avons déjà réalisé relativement à l'instauration de lois, de tribunaux et de systèmes d'application de la loi au niveau international, durant les quarante dernières années. Nous pouvons être optimistes quant au respect de notre droit fondamental de vivre dans un monde en paix, sans danger de mort provoquée par une guerre nucléaire. Nous ne commençons pas au bas de l'échelle, en fait nous sommes presque arrivés en haut! Nous espérons que vous serez agréablement surpris et inspirés lorsque vous prendrez connaissance des énormes progrès réalisés jusqu'à présent, et d'autant plus motivés à aider le monde à établir le palier final d'un gouvernement mondial sur lequel reposera l'assurance de notre survie commune.

On se rappellera l'histoire du patriote américain Paul Revere qui galopait à travers la campagne pour avertir les gens de l'approche des troupes anglaises : «Les «Habits-rouges» arrivent!» Serez-vous un Paul Revere de l'âge nucléaire? Vous assurerez-vous que vos voisins sont au courant du plus grand danger qui ait jamais menacé l'humanité? Et leur apprendrez-vous la bonne nouvelle qu'il est possible de réformer les Nations Unies et de poser certains gestes permettant de nous sauver, nous et nos enfants, et de donner au monde une vie plus sécuritaire et plus riche que tout ce que nous avons eu jusqu'à présent?

> *Il y a une chose qui est plus forte que toutes les armées du monde, c'est une idée dont le temps est venu.*
>
> Victor Hugo

En tant que Paul Revere modernes, n'ayons de cesse tant que le travail ne sera pas accompli.

4e étape

Reconnaître nos grands progrès

4ᵉ étape

Reconnaître nos grands progrès

PLUS de progrès ont été réalisés au niveau de la loi internationale durant les quarante dernières années que lors des millénaires passés. On doit éviter de se laisser décourager par les jugements du type «trop idéaliste», «utopique», ou «non réaliste». Si l'on examine attentivement le passé, on pourra mieux apprécier le présent. Pour ce qui est de l'évolution des systèmes législatifs, des tribunaux et des systèmes de mise en vigueur des lois (les piliers essentiels pour construire un monde de paix), la perspective historique révèle *un nombre incroyable d'accomplissements récents.* Le monde est prêt pour une grande transformation! En fait, cette transformation est déjà commencée.

Le développement de la loi internationale

Il a fallu des milliers d'années pour passer du système de loi primitif de l'époque pré-chrétienne aux débuts de l'élaboration de la loi internationale. Ce sont les indomptables pirates qui sont à l'origine de la première tentative claire de création d'une loi criminelle internationale. Puisque c'est en haute mer que ceux-ci pillaient les bateaux, ils n'étaient évidemment soumis à aucune loi territoriale de quelque pays que ce soit. Et puisqu'ils menaçaient la libre circulation du commerce, il fallait faire quelque chose. En arrivant à s'entendre, les pays maritimes déclarèrent les pirates hors-la-loi, les considérant comme «des ennemis de toute l'humanité»; ils les jugèrent et les punirent partout où ils pouvaient les capturer. *Des pays distincts furent capables de coopérer pour résoudre un problème commun.* Grâce à cela, la piraterie n'est plus un problème maintenant.

L'un des premiers fondateurs de la loi internationale fut Franciscus de Victoria, un Espagnol, qui étudia à la Sorbonne à Paris avant d'être nommé professeur principal de théologie à l'université de Salamanque en 1526.

Il enseignait que toute guerre doit être moralement justifiable. Selon Victoria, les différences de religion ou la gloire personnelle d'un roi n'étaient pas des raisons valables pour aller tuer des gens dans d'autres pays. Il déclarait qu'aucun sujet n'était obligé de servir dans une guerre injuste, même si elle avait été engagée par son propre roi. Ces mauvaises nouvelles pour les tyrans ne purent être publiées que cent cinquante ans après la mort de Victoria. Le recueil en fut fait à partir des notes de cours de celui-ci, notes qui initialement n'étaient destinées qu'à ses étudiants. Victoria est reconnu comme l'un des pionniers de la loi internationale. Sa statue s'élève aujourd'hui dans les jardins situés devant les bâtiments des Nations Unies.

> *Il est bien évident qu'aucune difficulté rencontrée sur le chemin de la formation d'un gouvernement mondial ne peut égaler le danger que représente un monde sans un tel gouvernement.*
>
> Carl van Doren
> *The Great Rehearsal*

Le grand juriste hollandais Hugo Grotius est universellement reconnu comme le père de la loi internationale. En 1625, il terminait son fameux ouvrage en trois volumes *Lois de la Guerre et de la Paix.* Grotius inventoria trois méthodes pour prévenir la violence entre les nations : (1) par des réunions, (2) par l'arbitrage et (3) par le partage comme l'avait suggéré Salomon. Comme moyen bien moins brutal qu'une guerre meurtrière entre des armées, il suggérait que les rois et les tyrans règlent leurs différends par un unique combat entre eux, une idée que l'ONU semble avoir oubliée! Il conseillait fortement que l'on garde une conduite humaine même pendant une guerre, «de peur qu'en imitant trop les bêtes sauvages, nous oubliions que nous sommes des êtres humains».

La première chaire pour l'enseignement de «la loi des nations» fut établie à l'université de Heidelberg, et Samuel Pufendorf en fut le premier responsable. Il publia «*Sur la loi de la nature et des Nations*» en 1688. Même au temps de la Convention constitutionnelle de Philadelphie, l'expression «loi internationale» était pratiquement inconnue. Cette expression a été introduite seulement plusieurs années plus tard par Jeremy Bentham quand il publia les *Principes de la Loi Internationale* en 1783.

David Dudley Field fut parmi les notables qui contribuèrent à la floraison d'idées relatives à la loi internationale. Il avait été chargé de codifier les lois de l'État de New York et fut le premier président de la non officielle «Association pour la Loi Internationale». En 1872, il rédigea *Outlines of an International Code* (Esquisse d'un Code International), qui faisait appel à l'arbitrage pour résoudre les conflits et à des actions collectives pour assurer l'exécution de la loi. En 1880, le professeur italien Pascale Fiore fit référence pour la première fois au «fléau de la guerre» comme étant «le plus grand des crimes». *Les graines de la loi internationale étaient en train de germer et de prendre racine.*

Au vingtième siècle

En 1899, dans une tentative de soulagement du lourd fardeau de la course aux armements, Nicholas II, alors tsar de Russie, proposa que les «pays civilisés» se réunissent à La Haye, pour créer ce qui a été reconnu comme la première «conférence internationale pour la paix». Vingt-six nations y participèrent. En 1907, lors de la seconde conférence à La

Haye, le nombre de participants passa à quarante-quatre, ce qui est une mesure évidente du progrès réalisé. Malheureusement, ceux-ci discutèrent longuement au sujet de règlements pour les combats militaires, non désireux qu'ils étaient de vraiment lâcher leur privilège vieux comme le monde d'aller tuer les voisins lorsque se présentait un conflit. Au lieu de créer des règlements obligatoires qui assureraient le maintien de la paix, tout ce que ces soi-disant «pays civilisés» purent faire fut de se mettre d'accord sur des règles pour faire la guerre!

> *La cause réelle de toutes les guerres a toujours été la même... Les guerres entre des groupes d'êtres humains formant des unités sociales prennent toujours place quand ces unités — tribus, dynasties, Églises, villes, nations — possèdent un pouvoir souverain illimité. Les guerres entre ces unités sociales cessent à partir du moment où leur pouvoir souverain est transféré à une unité plus large ou plus haute... Il ne s'agit pas de renoncer à la souveraineté nationale. Le problème n'est pas négatif, et n'implique en aucune façon l'abandon de quelque chose que nous avons déjà. Le problème est positif, il s'agit de créer quelque chose qui nous manque... mais dont nous avons impérativement besoin... l'extension de la loi et du maintien de l'ordre à un autre niveau d'association humaine, qui jusqu'ici est demeurée non organisée et dans un état d'anarchie.*
>
> Emery Reves
> *Anatomie de la Paix*

Il fallut la Première Guerre mondiale, avec ses vingt millions de morts, pour que les nations commencent à réaliser que le système international alors en cours avait besoin d'être révisé. Partout les gens réclamaient un monde de paix, un monde plus sécuritaire. Le Président Woodrow Wilson joua un rôle majeur en établissant la Société des Nations comme «une association générale de nations» pour assurer la protection «aussi bien des petits États que des grands». *Le traité de 1919 de la Société des Nations, basé sur des idées qui avaient évolué pendant des siècles, prévoyait une codification de la loi internationale, un tribunal pour régler les conflits, un contrôle des armements, l'élaboration d'une sécurité collective et d'une justice sociale.* Ce fut une étape importante sur le chemin tortueux du progrès vers un gouvernement mondial. Mais une poignée de sénateurs isola-

tionnistes, Henry Cabot Lodge en tête, bloquèrent la participation américaine à la Société des Nations. Le pays qui avait
conçu le bébé l'abandon-
nait. Les États-Unis ne se
joignirent jamais à la
Société. *Ce n'est pas la
Société qui refusa les
nations; ce sont les nations qui refusèrent la Société.* La
porte était ouverte à cette tragédie encore plus grande que
fut la Deuxième Guerre mondiale.

> *Il ne peut pas y avoir de paix sans loi.*
>
> Dwight D. Eisenhower,
> 31 octobre 1956
> Président des États-Unis

Un autre pas en avant

Après la Deuxième Guerre mondiale, la loi internationale fit un grand bond en avant. En 1945, les États-Unis
prirent de nouveau l'initiative en proposant un système de
lois internationales amélioré. Le but exprimé dans la Charte
des Nations Unies était «de maintenir la paix et la sécurité...
en conformité avec les principes de la justice et de la loi
internationale».

Avec une nouvelle ferveur, des comités spéciaux de
l'ONU furent désignés pour codifier la loi des nations.
Durant les quelques décennies suivantes, l'agression, le
génocide et les crimes contre l'humanité furent unanime-
ment condamnés comme actes criminels. Des déclarations
spécifiques précisèrent les droits civiques, politiques, économiques, sociaux et culturels pour tous les peuples. Des
accords internationaux ouvrirent la porte à la libération du
colonialisme.

Inspirées par l'ONU, les nations se mirent d'accord
sur les «Principes d'une loi internationale gouvernant
des relations amicales entre les États». L'apartheid fut
déclaré crime international. La définition de l'agression
fut précisée par consensus. L'Accord d'Helsinki chercha à
assurer la «sécurité et la coopération en Europe». Des
conventions bannirent la torture, la prise d'otages, et autres

actes de terrorisme. On jeta les bases d'un vaste code de délits contre la paix et la sécurité de l'humanité. Une monumentale Loi de la Mer fut acceptée par plusieurs pays. Des traités multinationaux furent signés en grand nombre.

Il faut reconnaître que les points clés furent souvent laissés délibérément imprécis, laissant bien des ouvertures à des interprétations conflictuelles. Mais ce n'est pas surprenant. *Les nations commençaient à peine à découvrir que la souveraineté d'un État doit se soumettre à la souveraineté de la loi internationale.* La Charte de l'ONU était un pas en avant très important, mais on était encore loin d'être arrivé au but. Elle avait été délibérément créée avec une série d'échappatoires qui la rendaient incapable de préserver la paix. Depuis 1945, il y a eu environ cent trente guerres. On estime à seize millions le nombre de morts causées par les guerres lors desquelles le Conseil de Sécurité ne put utiliser le pouvoir, qui en principe lui avait été donné par la Charte, d'arrêter toute agression et toute action meurtrière.

> *Le résultat obtenu (à travers la Charte des Nations Unies) est un document humain, avec des imperfections humaines, mais également avec des espoirs humains et une victoire humaine. Mais quelles que soient ses imperfections, la Charte... offre au monde un instrument au moyen duquel un réel travail pour la paix peut être commencé.*
>
> Rapport du Secrétaire d'État américain au Président, 1945

Le début des tribunaux internationaux

Nous venons de reconnaître les premiers grands pas réalisés par l'humanité dans sa tentative de créer une paix permanente à travers une coopération internationale globale : la Société des Nations et l'Organisation des Nations Unies. Examinons maintenant les grands progrès qui ont été réalisés durant notre siècle relativement à l'évolution des tribunaux internationaux. On peut remarquer que le développement du système législatif depuis le tout début a certainement été lent et difficile, *mais en constante accélération*. L'histoire révèle un schéma d'évolution semblable concernant les tribunaux nécessaires au règlement des conflits par des moyens pacifiques.

Durant les réunions de La Haye, au début du siècle, on reconnut le besoin d'un système pour régler les conflits de façon pacifique, mais le seul point sur lequel on put se mettre d'accord, à ce moment-là, fut une faible procédure d'arbitrage.

Sur le continent américain, une Cour de Justice d'Amérique centrale fut créée en 1908. Cela faisait partie d'un traité de paix signé par plusieurs républiques d'Amérique centrale. Les juristes nationaux de cinq États participants élirent cinq juges. Chaque nation dut abandonner un peu de sa souveraineté quand elle accepta de se soumettre aux décisions de la Cour. Les ententes formant ce tribunal devaient expirer au bout de dix ans. Entre 1908

> *L'idée d'une fédération mondiale ne pourra pas disparaître. De plus en plus de gens réalisent que la paix doit être bien plus qu'un simple intermède si nous voulons survivre; que la paix est le résultat de la loi et du maintien de l'ordre; que la loi est essentielle si l'on veut que le monde ne soit plus dirigé par la force des armes.*
>
> William O. Douglas
> Ancien Juge de la Cour Suprême
> des États-Unis

et 1918, celui-ci eut à régler dix cas. L'un de ses jugements, relatif à une plainte du Honduras déclarant que le Guatemala et le Salvador soutenaient une révolution contre lui, a pu prévenir une guerre en Amérique centrale. *En dépit de sa courte existence, la Cour de Justice d'Amérique centrale fut le premier tribunal international de cette sorte dans l'histoire.*

Après la Première Guerre mondiale, une *Cour de Justice internationale permanente* fut établie à La Haye. Mais les pays n'étaient pas encore prêts à accepter les recommandations des experts en législation. Cette nouvelle institution, communément appelée la *Cour mondiale*, fut autorisée uniquement à régler les conflits que «les différentes parties accepteraient de lui présenter». Vous sentiriez-vous en sécurité si un assassin dans votre ville ne pouvait être jugé que s'il voulait bien se présenter devant le tribunal?

Malgré toutes ces imperfections, la *Cour permanente* représentait déjà une nette amélioration comparativement à ce qui existait auparavant. Durant la brève période d'entre les deux guerres, ses conseils aidèrent à la clarification et au développement de la législature internationale. Après 1945, elle fut rebaptisée *Cour Internationale de Justice*, ses procédures furent améliorées, et elle poursuit actuellement son travail au sein de la Charte de l'ONU. Son personnel est formé de quinze juges remarquables provenant de différentes nations.

Après la Deuxième Guerre mondiale, *pour la première fois,* des tribunaux criminels internationaux temporaires furent établis, dont ceux de Nuremberg et de Tokyo, pour juger les criminels de guerre pour crimes contre la paix et contre l'humanité.

Les tribunaux internationaux permanents

Depuis, beaucoup de tribunaux multinationaux permanents ont été établis. Le meilleur exemple en est la *Cour de Justice de la Communauté européenne.* Ce tribunal possède une juridiction coercitive pour le règlement des conflits qui pourraient s'élever concernant les ententes sur lesquelles sont fondés le Marché Commun et la Communauté européenne de l'Énergie atomique. *Il a permis de régler des milliers de conflits commerciaux qui, dans le passé, aboutissaient fréquemment à des conflits armés.* Près d'une douzaine de nations européennes utilisent actuellement le système légal international, plutôt que des armées, pour régler de tels problèmes!

La *Cour européenne pour les Droits de la Personne,* située à Strasbourg, protège les droits des individus de toute l'Europe de l'Ouest. Selon Ferdinand Kinksy, «la plupart des citoyens des États membres du Conseil de l'Europe (au nombre de vingt et un actuellement) ont leurs droits humains non seulement garantis par leur propre constitution nationale, mais aussi par la Convention européenne pour les Droits de la Personne. Si leur gouvernement devait violer leurs droits, les citoyens européens ont la possibilité d'aller devant une Cour européenne, dont le jugement doit être respecté par chaque État. Les États membres des communautés européennes (les douze pays du Marché Commun) ont transféré une partie de leur souveraineté à des institutions communes. Évidemment, ces éléments «pré-fédéralistes» ne sont pas suffisants pour faire une vraie fédération de la Communauté européenne. Aucune politique étrangère ou politique de sécurité n'est couverte par les accords de la CEE. Mais un nouveau Parlement européen commence à travailler sur des problèmes qui ont des conséquences politiques.

Une nouvelle *Cour inter-américaine pour les Droits de la Personne* à Costa Rica suit actuellement le même chemin que la Cour européenne. Des agences internationales travaillant dans les domaines des finances, de la santé, du travail, du commerce et de l'énergie atomique ont développé des procédures légales pour régler les conflits. De nouveaux tribunaux administratifs de

> *Nous devons établir un système de lois, un système de lois au niveau international. Nous devons nous rendre compte que le monde a besoin de policiers servant les intérêts de toute l'humanité.*
>
> Ramsey Clark
> Ex-Procureur général américain

toute sorte ont commencé à apparaître. Aujourd'hui on commence à penser à une cour internationale pour résoudre les conflits relatifs aux problèmes de l'espace et de l'environnement.

La «Loi de la Mer» exige que presque tous les conflits soient réglés par un Tribunal international. Ceci est en train d'être ratifié par plusieurs nations. La proposition d'une *Cour criminelle internationale* pour faire face au terrorisme a été endossée par l'«American Bar Association» (Association du Barreau américain) en 1978. En tant que forum neutre, cette Cour pourrait éviter les problèmes actuels en extradant les terroristes qui profitent des frontières nationales pour échapper à la justice.

L'Union soviétique se rapproche également de la position prise par l'Association du Barreau américain. Dans un article publié le 17 septembre 1987, le Secrétaire général Gorbatchev écrivait : «Il est extrêmement important de travailler à une expansion et à une intensification draconiennes de la coopération entre les États pour déraciner le terrorisme international. Il serait approprié de concentrer cette coopération à l'intérieur du cadre de l'Organisation des Nations Unies. A notre avis, il serait utile de créer sous son égide un tribunal d'enquête sur les actes de terrorisme international...» En dépit de l'hésitation de quelques pays importants, on remarque que les nations s'habituent de plus en plus à laisser aller suffisamment de leur souveraineté pour résoudre les conflits devant des tribunaux internationaux plutôt que sur le champ de bataille. La guerre et la destruction font des ravages et coûtent trop cher; en comparaison, combattre dans les cours internationales est une réelle aubaine! L'humanité ne peut plus s'offrir le luxe de payer le prix de la guerre, c'est une façon d'agir qui coûte bien trop cher à tous points de vue.

> *On ne doit pas oublier les capacités de la Cour internationale... L'Assemblée générale et le Conseil de sécurité pourraient y avoir recours plus souvent pour des avis consultatifs à propos de conflits internationaux. Sa juridiction obligatoire devrait être reconnue par tous à partir d'ententes mutuelles préalablement définies.*
>
> Mikhaïl Gorbatchev
> Secrétaire général de l'URSS
> Article paru dans *La Pravda*
> du 17 septembre 1987

L'accroissement de la coopération régionale

La pensée en termes de région et d'organisation régionale est devenue aujourd'hui un fait courant partout dans le monde. En dépit de siècles de querelles, de différences linguistiques et de barrières culturelles, les États de l'Europe de l'Ouest ont formé une Communauté européenne et ont élu un Parlement européen. Ces contrées rivales, qui ont subi les horribles ravages de siècles de guerres, ont décidé finalement de commencer à faire du commerce, de travailler, et de vivre ensemble en paix au sein d'une communauté.

Les pays plus petits, ayant reconnu leur besoin accru de sécurité, se réunissent de plus en plus nombreux dans des associations et des alliances de coopération pour favoriser leurs intérêts économiques, religieux, politiques ou autres. Une Organisation des États Américains a été formée. Une Organisation de l'Unité Africaine a vu le jour. Une Ligue des États Arabes a été créée. Les

> *La communauté internationale doit soutenir un système de lois permettant de régulariser les relations internationales et de maintenir la paix, de la même manière que les lois à l'intérieur d'un pays assurent l'ordre national.*
>
> Jean-Paul II

États nordiques se sont unis dans une grande alliance. Les pays du sud-est asiatique ont formé l'Alliance pour le Pacifique. Les pays en voie de développement ont formé le «Groupe des 77». Plus de cent pays ont rejeté leur statut de «non-aligné» en se réunissant pour soutenir leurs intérêts communs.

Une multitude d'organisations internationales et d'agences spécialisées, à la fois gouvernementales et non-gouvernementales, ont fait des pas décisifs dans le sens de la coopération planétaire, par des moyens très variés et multiples qui auraient paru inconcevables il n'y a pas si longtemps. Quelques-unes de ces organisations les mieux connues sont l'Agence Internationale pour l'Énergie Atomique, l'Organisation Maritime Internationale, l'Organisation pour l'Aviation Civile Internationale, l'Organisation Météorologique Mondiale et toute une série d'agences travaillant dans les domaines de la santé, du commerce, des finances, des affaires et du développement. *Récemment, la terre, la mer et le ciel sont devenus des lieux de coopération internationale grandissante.*

L'exécution de la loi internationale

Tournons maintenant notre attention vers les progrès qui ont été réalisés concernant la mise en application de la loi internationale; nous constaterons là aussi l'émergence d'un progrès graduel. Le Pacte de la Société des Nations et la Charte de l'ONU envisageaient le soutien de l'exécution de la loi par des sanctions économiques, le contrôle des armements, et une armée internationale, mais ces moyens n'ont jamais pu être mis en application à cause du refus des grandes puissances de remplir leurs obligations.

> La seule sécurité pour les Américains d'aujourd'hui, ainsi que pour tous les habitants de cette planète, réside dans la création d'un système de lois au niveau mondial permettant aux nations de conserver leur souveraineté relativement à leurs propres cultures et institutions, mais créant en même temps une autorité efficace pour réglementer leur conduite lors de leurs relations entre elles.
>
> Norman Cousins
> Président de la World Federalist Association

Cependant, en 1950, une force militaire internationale sous le commandement de l'ONU fut envoyée en Corée pour mettre fin à une agression. C'était «le premier effort pour mettre en application les principes de sécurité collective par l'intermédiaire d'une organisation internationale». Quand la guerre éclata au Congo en 1960, une force militaire de l'ONU fut autorisée à rétablir l'ordre et la loi, et à expulser les troupes étrangères de ce pays nouvellement indépendant. Pendant plus de vingt ans, les Forces de Paix de l'ONU ont été présentes à Chypre afin d'éviter la guerre entre les Turcs et les Grecs nationalistes.

Au Moyen-Orient, quand l'Égypte nationalisa le Canal de Suez en 1956, Israël, la France et l'Angleterre envahirent ce pays pour protéger leurs intérêts. Le Conseil de Sécurité était impuissant à cause du veto de la France et de l'Angleterre. Pourtant l'Union soviétique et les États-Unis organisèrent une session d'urgence à l'Assemblée générale. *Même si, d'après la Charte, elle n'avait pas ce pouvoir, l'Assemblée vota en faveur de la création d'une force internationale afin d'arrêter les hostilités.* Une Force d'urgence de l'ONU issue de dix nations fut rapidement rassemblée. Les envahisseurs se retirèrent en vitesse!

En 1967, lors du conflit entre l'Égypte et Israël, une décision unanime du Conseil de Sécurité exigea le cessez-le-feu et mit fin aux hostilités en six jours. En 1973, une entente entre le Secrétaire d'État américain Kissinger et le

> *Si l'on veut que ce soit la force de la loi qui gouverne la communauté des États et la protège contre les infractions à l'ordre public mondial, on doit réaliser que cela ne peut être possible de façon satisfaisante que par l'instauration d'un code pénal international et par le fonctionnement permanent d'une juridiction pénale internationale.*
>
> Richard Alfaro, 1950
> Président du Panama

Président soviétique Brejnev mit brusquement fin à la guerre du «Jour du Grand Pardon». Dès que les grandes puissances s'unirent, la paix put être exigée.

En faisant davantage appel aux forces morales qu'aux forces armées, les Nations Unies jouent un rôle de plus en plus efficace pour séparer les parties antagonistes, et surveiller les frontières dans beaucoup d'endroits. Et elles pourront faire plus encore si elles sont renforcées et soutenues, et si nous leur donnons vraiment leur chance.

Les progrès dans la justice sociale

L'intérêt international pour le bien-être et les droits humains est une grande force historique de notre temps. On peut difficilement imaginer le chaos et la souffrance croissante qui existeraient dans le monde d'aujourd'hui si les organisations de l'ONU n'étaient pas intervenues pour soutenir des actions de coopération mondiale durant les dernières décennies.

L'Organisation Mondiale de la Santé, par exemple, a fait totalement disparaître la variole de la surface de la terre, et presque éliminé la malaria. La FAO (Food and Agriculture Organization) s'est donnée comme objectif la disparition de la faim dans le monde. Les programmes de l'ONU travaillent sur les problèmes de logement, des droits des femmes et des enfants, des handicapés physiques, des réfugiés, des illettrés, des non-scolarisés et de tous les défavorisés. L'aide économique aux pays en voie de développement est devenue une préoccupation prioritaire au niveau mondial.

Arvid Pardo, ambassadeur de la petite île de Malte, exprimait son rêve de voir les vastes ressources de l'océan devenir «l'héritage commun de toute l'humanité». Ce principe humanitaire devient tranquillement une réalité aujourd'hui. Il a été confirmé par un traité signé en 1967 concernant la lune et l'espace, et par un autre traité signé en 1980 concernant le vaste continent de l'Antarctique. La plupart des pays commencent à accepter l'idée que toute l'humanité devrait pouvoir, d'une façon ou d'une autre, partager les ressources encore inexploitées de notre planète.

> *Les changements nécessaires ne pourront être réalisés qu'à travers l'expression claire de la volonté politique des peuples partout dans le monde.*
>
> Olof Palme, 1982
> Premier Ministre de Suède
> Président de la Commission
> indépendante pour le désarmement
> et la sécurité

Durant le cours très bref d'une seule vie humaine, le temps d'un battement de paupières de l'œil du temps, il y a eu un remarquable éveil de la conscience. Les droits de la personne sont maintenant surveillés et protégés par de nombreux gouvernements et organisations à travers le monde. *Nous avançons lentement, mais sûrement, dans la direction d'une coopération internationale, coopération qui auparavant ne pouvait être qu'un rêve.*

Progrès pour le désarmement

Le problème du désarmement est le cœur du défi fondamental que constitue le maintien de l'ordre international.

Le Traité de la Société des Nations, aussi bien que la Charte de l'ONU, suggérait une réduction des armements nationaux. La sagesse du projet était reconnue, bien que les différentes nations ne fussent pas prêtes à le mettre en action. Depuis les dernières années, cependant, de lents mais réels progrès ont été réalisés.

En 1959, le Premier Ministre soviétique Nikita Krouchtchev, s'adressant aux Nations Unies, lança un appel en faveur d'un désarmement général et complet. En 1961, afin de trouver une entente avec les Russes, le Président John F. Kennedy nomma à son service en tant qu'Assistant spécial au Désarmement, John J. McCloy, ex-Secrétaire adjoint aux Affaires militaires et serviteur remarquable de l'humanité.

En septembre de la même année, McCloy et le député soviétique des Affaires étrangères Zorin firent un exposé conjoint reconnaissant qu'un désarmement général et complet était l'objectif des deux pays. Ils étaient d'accord sur le fait que ce désarmement devait être réalisé sous un «*contrôle international strict et efficace*».

> *Ce qui est demandé, c'est un désarmement total, universel, obligatoire et complet.*
>
> John J. McCloy, 1959
> Ex-assistant au secrétaire adjoint
> américain à la guerre

De nouvelles institutions devraient être créées pour résoudre les conflits par des moyens pacifiques. Une force de paix internationale devrait remplacer les forces armées nationales qui seraient démantelées. Cette proposition de McCloy-Zorin, intelligente et concise, fut immédiatement acclamée par l'Assemblée générale des Nations Unies tout entière.

Le Président Kennedy défia l'Union soviétique, non pas dans une course aux armements, mais dans une course à la paix, «afin de progresser ensemble, pas à pas, étape par étape, jusqu'à ce qu'un désarmement complet soit effectué». Les chefs d'État des deux grandes puissances déclarèrent publiquement devant le monde entier qu'ils étaient, tous les deux, en faveur d'un désarmement général et complet. Malheureusement, la méfiance et la peur continuèrent à paralyser les deux pays.

Bien que l'excellent plan de McCloy-Zorin pour un désarmement général et complet n'ait jamais été mis à exécution, *il démontre malgré tout combien les peuples des États-Unis, de l'URSS et du monde entier* désirent assurer leur droit fondamental de vivre dans la paix, libres de toute menace de mort causée par une guerre nucléaire. Au mois de décembre 1987, en arrivant à un accord sur l'élimination de toutes les armes nucléaires de moyenne portée, les deux grandes puissances surmontèrent le problème de la vérification qui avait conduit le plan McCloy-Zorin dans une impasse.

La porte est maintenant ouverte. Laissons entrer le désarmement et la paix. Trouvons enfin notre sécurité, non pas à l'aide d'instruments de mort, mais à travers un système international amélioré composé de lois, de tribunaux et de systèmes efficaces de mise en vigueur des lois.

Nos progrès continuels

Des zones libres d'engins nucléaires ont déjà été établies d'un commun accord dans de nombreux endroits du monde, incluant l'espace et la lune. Certaines limites ont été fixées pour les tests d'armes nucléaires. Des ententes existent pour faire face aux accidents nucléaires, des «téléphones rouges» ont été installés pour réduire les risques d'erreur.

Le traité de 1972 sur les missiles anti-balistiques (ABM), qui fut ratifié comme une partie de SALT I (Strategic Arms Limitations Talks), constitue un pas majeur vers l'avant. Des restrictions sur la prolifération des armes nucléaires ont été acceptées. SALT II, bien que non ratifié par les États-Unis, a été généralement respecté par les deux parties.

Trente-cinq nations qui s'étaient réunies récemment à l'occasion de la Conférence sur la Sécurité européenne à Stockholm consentirent à se maintenir mutuellement au courant de leurs manœuvres militaires, et à permettre des inspections sur place. Cela fut, d'après l'ambassadeur d'Allemagne de l'Ouest, «une victoire de la raison, de la responsabilité et du réalisme». Le Comité sur le Désarmement, formé de quarante nations, annonça le 29 avril 1987, après dix-huit ans d'efforts, que le pacte condamnant toute arme chimique était attendu pour le début de 1988. Il fut annoncé que les États-Unis et l'URSS s'étaient entendus pour une exploration conjointe du cosmos. Un Traité sur le non-usage de la force, qui avait été débattu à l'ONU pendant de nombreuses années, fut adopté par consensus à la fin de 1987. Il contenait encore bien des échappatoires, mais cela n'en était pas moins un pas en avant très significatif.

> *Je suis convaincu qu'une forme quelconque minimum de gouvernement mondial est absolument nécessaire si on veut abolir la guerre et faire face à la pollution.*
>
> Arnold Toynbee
> Historien éminent

La glace fut rompue dans une certaine mesure en octobre 1986, quand le Président Reagan et le Secrétaire général soviétique Gorbatchev se rencontrèrent à Reyjavik. Cette rencontre au sommet démontra combien les points de vue des deux dirigeants pouvaient être proches en matière d'armement, et jusqu'à quel point ils étaient capables de se mettre d'accord sur des buts communs.

Concernant le difficile problème de la vérification, les Présidents Gerald Ford et Jimmy Carter, à la suite d'une conférence non officielle avec des experts soviétiques au printemps 1985, confirmèrent le fait que les ententes précédentes avaient été suivies dans ce qu'elles avaient d'essentiel. *M. Carter était convaincu que «même les questions les plus épineuses pouvaient être résolues par les deux grandes puissances de façon mutuellement satisfaisante».* La Commission sur les Forces Stratégiques du Président Reagan (qui employa les services de deux anciens conseillers de la

Sécurité nationale, de quatre anciens secrétaires de la Défense, trois anciens directeurs de la CIA, et de deux anciens Secrétaires d'État), arriva à la conclusion que *«le but relatif à la réalisation d'un système de vérification efficace était à la portée de la main»*. Et en fait, une entente effective sur la vérification fut conclue au mois de décembre 1987.

Le Traité INF, signé par MM. Reagan et Gorbatchev en décembre 1987, fournit les conditions pour l'élimination de tous les missiles nucléaires de portée intermédiaire. D'autres réductions d'armements nucléaires sont envisagées. Nous espérons que celles-ci, ainsi que d'autres points relatifs au désarmement, pourront être mises à exécution. *Cependant,*

> *Les dogmes du passé ne sont plus adéquats pour notre tumultueux présent. Nous devons penser et agir de façon entièrement nouvelle.*
>
> Abraham Lincoln

tout ceci ne sera que poudre aux yeux pour bien paraître devant le public (et peut-être économiser un peu d'argent), tant que ceux qui prennent les décisions et leurs collaborateurs ne chercheront pas à maintenir la paix au moyen d'une législature mondiale, de tribunaux et de systèmes de mise à exécution des lois au niveau international.

La réduction du nombre de missiles nucléaires n'est qu'un commencement. **Car même les armes conventionnelles sont aujourd'hui infiniment plus efficaces pour tuer et détruire que ne l'était l'équipement utilisé durant la Deuxième Guerre mondiale.** Les armes chimiques et autres moyens scientifiques peuvent égaler les armes nucléaires dans leur capacité de détruire la vie sur cette planète. **La coopération planétaire exige que nous soustrayions toutes les armes au contrôle des nations individuelles** (excepté pour les besoins de politiques intérieures). A ce moment-là seulement, avec les Forces internationales du Maintien de la Paix, nous aurons la paix et la sécurité que nous espérions obtenir par les armes.

En route pour le succès

Six tapisseries ornent les murs d'entrée de l'édifice de l'ONU à Genève (l'ancien Palais de la Paix de la Société des Nations). Elles racontent l'histoire de nos aspirations et des progrès réalisés en vue d'une structure plus perfectionnée de la société internationale. Les artistes représentent l'évolution de la vie sociale partant de la famille, passant par le clan, le village, l'État féodal, la nation, pour finalement arriver à un système inter-

> *Seule l'unité de tous pourra apporter le bien-être de tous.*
>
> Robert Muller
> Ancien Sous-Secrétaire général
> de l'ONU
> Chancelier de l'Université
> pour la Paix
> *A Planet of Hope*

national de gouvernement au sein duquel les gens de toutes les races sont réunis en un cercle de paix. Au cours des quelque six mille ans d'histoire connue, la race humaine s'est dirigée lentement vers ce noble idéal merveilleux. Nous sommes presque arrivés!

Il fallut la Révolution américaine pour créer le chaos qui mena à la naissance de la constitution fédérale. Il fallut la Première Guerre mondiale et ses vingt millions de morts pour amener les hommes d'État à créer la Société des Nations. Il fallut la Deuxième Guerre mondiale et ses trente-cinq millions de morts pour que les différentes nations créent les Nations Unies. Chaque fois, un grand pas en avant fut réalisé.

L'Union soviétique demande maintenant un nouveau système international complet pour assurer la paix et la sécurité. Dans la *Pravda* du 17 septembre 1987, M. Gorbatchev reconnaissait que toutes les parties de notre monde, aussi variées soient-elles, sont reliées et interdépendantes. Il faisait appel à une coopération internationale dans tous les domaines : militaire, politique, économique, écologique, et humanitaire. Il déclarait que le désarmement est le but souhaité, incluant l'élimination de toutes les bases étrangères et le retrait des troupes soviétiques de l'Afghanistan. Il plaidait

pour le respect de la Charte de l'ONU et pour une forte sur-
veillance afin de prévenir toute guerre. Il demandait une
vérification internationale de l'application des traités relatifs
à la limitation des armes (comme les États-Unis l'avaient
également demandé). Il réaffirmait notre droit de vivre dans
la dignité, et l'importance d'une législature et d'un ordre au
niveau international. Il faisait même référence à une juridiction obligatoire confiée à la Cour internationale de Justice.

Ce projet a été présenté aux Nations Unies. Selon M.
Gorbatchev, «les impératifs du moment nous appellent à
amener bien des principes issus du bon sens ordinaire au
niveau de la politique». Faisant remarquer, une fois encore,
que le monde est menacé quotidiennement de destruction, le
dirigeant soviétique mettait le doigt sur le point essentiel :

«Rien ne changera si nous ne commençons pas à agir.»

Les buts présentés par le leader soviétique dans sa nouvelle politique d'ouverture sont des buts avec lesquels les
États-Unis ont toujours été en accord. Si les États-Unis
veulent demeurer un leader
sur le plan mondial, qu'ils
n'hésitent pas à agir. Et si
les leaders ne veulent pas
agir, que la population elle-
même agisse, et les leaders
vont suivre. C'est à nous
de jouer!

> *Je suis profondément convaincu que le meilleur moyen pour assurer ulti-mement le désarmement est d'établir une Cour de justice internationale et de développer un code de justice international que les nations recon-naîtront comme offrant une meilleure façon que la guerre de résoudre les conflits internationaux.*
>
> Howard Taft, 1910
> Président des États-Unis

Grâce aux grands
progrès qui ont été réalisés
en ce qui concerne le développement et l'utilisation de la
législature internationale durant le XXᵉ siècle, nous sommes
prêts maintenant à **faire le pas final** pour une réelle coopération planétaire. Les progrès que nous avons faits jusqu'à
présent, pas à pas, décennie après décennie, en vue de la réalisation d'une législature internationale, de tribunaux internationaux, et d'un système international de mise en application de la loi sont extrêmement inspirants.

Mais le XXIe siècle approche. Nous avons fait suffisamment de lèche-vitrines. C'est le temps de choisir et de passer à l'action!

La cinquième étape nous en donnera les moyens en nous proposant la réforme et l'amélioration du véhicule que nous possédons déjà pour assurer notre survie et notre prospérité. La victoire est à la portée de notre main !

5ᵉ étape

Rendre les Nations Unies efficaces pour l'âge nucléaire

5ᵉ étape

Rendre les Nations Unies efficaces pour l'âge nucléaire

DEPUIS la fin de la Deuxième Guerre mondiale, nous n'avons pas réussi à créer un système mondial qui soit efficace pour assurer le maintien de la paix. Conséquences? Des millions de morts, encore plus de blessés, des entreprises ravagées, des vies empoisonnées par la peur et la haine, des biens détruits et d'énormes montants d'argent gaspillés pour la création et l'entretien de machines à tuer (cette expression désignant aussi bien des personnes que des canons). La folie des engins de guerre nucléaire nous fait réaliser qu'une Troisième Guerre mondiale (avec la possibilité de cinq *milliards* de morts) pourrait amener la disparition de tous les êtres humains de cette planète. L'objectif de ce livre est d'offrir des moyens de mettre fin à la course aux armements — et non pas à la race humaine.

Les quatre premières étapes

Résumons brièvement les étapes présentées jusqu'à présent. Dans la première étape, nous affirmions notre droit fondamental, en tant qu'êtres humains, de vivre dans un monde libre de toute menace de mort causée par une guerre nucléaire. Dans la deuxième étape, nous comprenions la

nécessité d'un niveau supplémentaire de gouvernement au-
dessus des gouvernements nationaux afin d'assurer en permanence le respect de ce droit humain fondamental pour
NOUS et notre famille. Nous devons inclure dans la structure de ce gouvernement mondial un *corps législatif* (représentant les habitants de la
planète), *une Cour de
justice mondiale* composée
de juges choisis parmi les
plus sages dans toutes les
nations du monde, et *un
système efficace pour assurer le respect des règles de
conduite nationale* qui auront été collectivement acceptées.
Ce niveau supplémentaire de gouvernement protégerait également la souveraineté des États-nations en matière
d'affaires strictement internes, et maintiendrait la paix.

> *Si nous voulons la paix, nous devons
> réformer, restructurer et renforcer
> l'Organisation des Nations Unies.*
> Dr John Logue, 1985
> Directeur du Common
> Heritage Institute

Dans la troisième étape, nous réalisions ce que cela
peut signifier que de devenir un patriote de la paix. Nous
avons été invités à marcher sur les traces de George
Washington en offrant notre soutien à la création d'une nouvelle constitution qui gouvernerait l'ensemble des nations du
monde. Cette République fédérale mondiale devra être assez
forte pour être efficace, et en même temps assez faible pour
ne pas devenir tyrannique. Ceci pourra être réalisé par un
sage équilibre de pouvoir entre les sections législative, exécutive et judiciaire.

Dans la quatrième étape, nous reconnaissions les
énormes progrès faits jusqu'à présent dans le domaine de la
loi internationale. Nous remarquions à quel point les différentes nations du monde commencent à s'habituer à fonctionner ensemble, renonçant, *graduellement et de façon
sécuritaire,* à de petits morceaux de leur souveraineté afin de
pouvoir bénéficier d'ententes internationales obligatoires,
pour le bien de tous. Nous avons vu que les États-nations
fusionnent déjà pour former de plus grandes entités économiques et politiques afin de pouvoir satisfaire leurs besoins
communs. *Il existe une conscience de plus en plus aiguë du*

fait que le système mondial doit changer pour faire face au challenge du XXIe siècle.

Lors de la cinquième étape, nous allons examiner comment nous pourrions modifier le véhicule qui doit être en mesure d'assurer notre sécurité et notre survie, à savoir : les Nations Unies. Ceci nous permettrait de fonctionner au sein d'une organisation mondiale efficace, munie de systèmes de vérification et d'équilibre afin que nos droits et nos libertés soient réellement protégés. Arrivés à ce point, nous devons clarifier de quelle façon nous pouvons modifier le fonctionnement des Nations Unies pour assurer la paix dans le monde. Nous n'essaierons pas ici de décrire l'énorme contribution à la paix mondiale que cette organisation pionnière a déjà réalisée, en dépit du fait qu'elle ait eu souvent les mains liées. L'appendice 2 donne un résumé inspirant de tous les services remarquables que cette organisation a pu rendre au monde durant les quarante dernières années.

> *Quand nous arriverons au point, et cela ne peut faire autrement que d'arriver un jour ou l'autre, où les deux parties sauront qu'à la suite d'un déclenchement d'hostilités générales, indépendamment de l'élément de surprise, la destruction sera réciproque et complète, il est possible que nous ayons alors assez de bon sens pour nous réunir autour d'une table de conférence, ayant compris que le temps des armes est révolu, et que la race humaine doit se soumettre à cette réalité, ou mourir.*
>
> Dwight D. Eisenhower
> Président des États-Unis
> Lettre personnelle, 4 avril 1965

Après le carnage de la Deuxième Guerre mondiale et ses trente-cinq millions de morts, bien des pays étaient fortement déterminés à ne pas revivre ces terribles événements une autre fois. A la fin de la guerre, ils commencèrent donc à structurer l'Organisation des Nations Unies.

Au mois d'octobre 1945, la Charte fut ratifiée par cinquante nations à San Francisco. L'enthousiasme était à la hausse. La Charte des Nations Unies peut être une nouvelle «Magna Carta» encore plus grande que la première, déclarait John Foster Dulles, Secrétaire d'État américain, délégué à la conférence de San Francisco. Il est intéressant de noter que l'établissement de la Charte des Nations Unies fut terminé le 26 juin 1945 — six semaines avant Hiroshima et Nagasaki. Ceci peut contribuer à en expliquer la faiblesse.

Le Conseil de Sécurité

La Charte prévoit un Conseil de Sécurité et une Assemblée générale. Le Conseil de Sécurité devait être un moyen permettant la mise à exécution des décisions. Il était composé de cinq membres permanents, les vainqueurs de la Deuxième Guerre mondiale : les États-Unis, l'Union soviétique, la Grande-Bretagne, la France et la Chine (en 1947, la République populaire de Chine remplaça la Chine nationaliste au Conseil de Sécurité). De plus, dix membres y siègent maintenant à tour de rôle (à l'origine il y en avait six). Tout cela était délibérément organisé de manière que les grandes puissances puissent ignorer tout vote qui ne leur convenait pas. En effet, *chacun des cinq membres permanents du Conseil de Sécurité peut émettre un veto final sur toute décision exécutoire, même si le reste du monde est en faveur de cette décision!*

> *Lorsqu'il y a un problème entre deux petits pays, le problème disparaît. Lorsqu'il y a un problème entre un grand et un petit pays, le petit pays disparaît. Lorsqu'il y a un problème entre deux grands pays, les Nations Unies disparaissent.*
>
> Victor Belaunde
> Ambassadeur du Pérou à l'ONU

A cause de la méfiance et des conflits existant entre l'Union soviétique et les États-Unis (et parce qu'habituellement on vote pour soutenir ses amis, et les Soviétiques soutiennent leurs amis), des impasses à propos de tous les problèmes importants relatifs à la guerre et à la paix ont la plupart du temps bloqué toute action efficace qu'auraient pu mener les Nations Unies. Ce manque de considération pour une méthode de résolution des conflits légale et pacifique a donné un bien piètre exemple aux cent cinquante-sept autres nations du monde. Brian Urquhart, Sous-Secrétaire général aux Affaires politiques spéciales, déclarait avec tristesse : «Il y a des moments où j'ai l'impression que seule une invasion d'extra-terrestres pourrait ramener l'unanimité au Conseil de Sécurité, ainsi que l'esprit dans lequel la Charte a été créée par ses fondateurs.»

Nous avons donc un Conseil de Sécurité qui, d'après la Charte, est habilité à envoyer des forces armées partout sur la terre pour arrêter la guerre. Et il est rendu impuissant, la plupart du temps, par la nécessité du vote à l'unanimité des membres permanents au sujet de toute action concernant le maintien de la paix. En 1945, nous n'étions pas encore tout à fait prêts à faire le pas final.

> *Un Conseil de Sécurité qui peut être rendu impuissant par le vote d'une seule nation ne peut évidemment pas garantir la sécurité. Une Assemblée générale qui peut passer une résolution avec les votes de nations représentant moins de dix pour cent de la population mondiale, et quelque trois pour cent du produit mondial brut, n'aura pas et n'obtiendra jamais le respect nécessaire pour que ses décisions soient prises au sérieux.*
>
> Dr John Logue, 26 décembre 1985
> Directeur du Common
> Heritage Institute
> «A more Effective
> United Nations»,
> *New Jersey Law Journal*

L'Assemblée générale

En plus du Conseil de Sécurité, la Charte des Nations Unies prévoit une Assemblée générale. Celle-ci a été comparée, par l'ex-Secrétaire Général Trygve Lie, à une sorte d'assemblée municipale pour le monde. Chaque nation possède un droit de vote au sein de cette Assemblée générale qui est passée de cinquante nations à ses débuts à cent cinquante-neuf actuellement. Les petites nations, *quelle que soit leur taille,* ont donc le même droit de vote que les grandes nations. Par exemple, la Grenade, avec ses quelque quatre-vingt-dix mille habitants détient un droit de vote égal à celui des États-Unis dont la population s'élève à plus d'un quart de milliard de personnes.

Alors que le Conseil de Sécurité possède tout le pouvoir d'agir, les grandes puissances ont donné aux autres nations le pouvoir de parler! Il est intéressant de noter que lorsqu'une résolution est acceptée par l'Assemblée générale, elle est envoyée au Conseil de Sécurité *sous forme de recommandation seulement.* L'Assemblée générale n'a, de par la Charte, aucun pouvoir pour prélever des fonds, ou pour exiger une quelconque action ayant pour but de préserver la paix. La seule chose qu'elle peut faire, c'est présenter des recommandations!

La nécessité d'une réforme

Vernon Nash écrit dans son livre «*The World Must Be Governed*» (Le Monde doit être gouverné) : «... Si Hamilton, ou l'un quelconque des Pères Fondateurs, revenait aux États-Unis aujourd'hui et lisait un article décrivant les performances et les possibilités actuelles des Nations Unies, il se dirait certainement : «Voilà par où nous avons commencé...», car alors, comme maintenant, les hommes essayaient de maintenir l'ordre sans faire de lois, d'établir la paix tout en gardant le droit et le pouvoir de faire ce qu'ils voulaient.»

> *L'Organisation des Nations Unies est une organisation extrêmement importante et utile à condition que les peuples et les gouvernements du monde réalisent que ce n'est là qu'un système transitoire orienté vers le but final de l'établissement d'une autorité supranationale ayant assez de pouvoir législatif et exécutif pour maintenir la paix.*
>
> Albert Einstein

Les États-Unis, qui furent les principaux instigateurs de la création de la Cour mondiale, donnèrent l'impression qu'ils acceptaient une juridiction dotée de pouvoirs exécutoires à propos de «toute question concernant la loi internationale». Mais cela s'est avéré très décevant. En établissant des réserves spéciales, les États-Unis exclurent certains cas de conflits pour lesquels eux-mêmes se réservaient le pouvoir de décider s'ils désiraient régler le problème selon leur propre juridiction.

Une nation sabote la Cour lorsqu'elle donne l'apparence d'accepter cette Cour, en même temps qu'elle retire au tribunal des pouvoirs qui seraient normaux pour toute organisation judiciaire. *Une nation qui défie la juridiction de la Cour lorsqu'elle devient un accusé ne fait que démontrer son mépris pour cette Cour.* Une nation qui se retire de la Cour lorsqu'elle craint un jugement qui lui serait défavorable détruit le processus même de la loi. Et quand c'est une nation qui a contribué à établir cette Cour mondiale qui agit ainsi, cela diminue énormément le respect qu'on pourrait accorder à cette institution juridique. En dépit des arguments techniquement légaux qui furent apportés pour justifier la position des États-Unis quand le Nicaragua, en 1984, se plaignit du fait que les États-Unis minaient ses ports et cherchaient à renverser son gouvernement, le refus américain d'honorer la Cour et de se soumettre à ses jugements a été perçu à travers le monde comme une manifestation hypocrite de mépris pour ce même tribunal que les États-Unis louangent lorsque les décisions sont en leur faveur. *Le mépris de la loi est une invitation au désastre. Ce que l'on pouvait tolérer pendant les temps pré-nucléaires n'est plus tolérable maintenant.*

Dans un monde d'ordre et de loi, les nations qui attaquent une autre nation devraient être clairement identifiées comme étant hors-la-loi puisqu'elles rejettent la règle de la loi. Ceci ne signifie pas que les plaintes justifiées doivent être ignorées; des efforts sincères doivent être faits pour trouver des solutions justes. *Mais une poignée d'États ou un petit groupe de fanatiques ne doivent pas avoir la permission de détourner l'humanité de son effort vers la création d'un monde d'ordre et de paix.*

Soutenir les Nations Unies

En 1986, le Congrès américain réduisit de plus de la moitié son soutien financier aux Nations Unies, principalement parce que certaines dépenses ne lui plaisaient pas. Si l'on considère que le budget total des Nations Unies est moindre que celui de la ville de New York, toute réduction de son revenu annuel, qui est de huit cents millions de dollars, devient critique.

> Le dirigeant de l'une des grandes nations dont la voix peut être entendue et écoutée devrait se présenter à l'Assemblée des Nations Unies, et plaider... en faveur d'une force de police internationale afin d'assurer une protection renforcée... de la paix dans le monde entier.
>
> Harry Truman, 1953
> Président des États-Unis

Dans le passé, l'Union soviétique a aussi refusé de payer ses dettes aux Nations Unies pour les mêmes raisons. En octobre 1987, Mikhaïl Gorbatchev exprima son désir de renforcer le Conseil de Sécurité. Pour appuyer ses paroles, l'Union soviétique annonça qu'elle avait l'intention de payer toutes ses dettes envers les Nations Unies, dettes dont le montant s'élevait à cent quatre-vingt-dix-sept millions de dollars.

En octobre 1987, les États-Unis étaient donc devenus les plus remarquables délinquants, avec une dette de quatre cent quatorze millions de dollars, incluant soixante et un millions de dollars relatifs à des actions de maintien de la paix auxquelles les États-Unis s'opposaient.

Le monde dépense seulement huit cents MILLIONS de dollars par année pour préserver la paix à travers les Nations Unies, et 1 BILLION (UN MILLION DE MILLIONS) de dollars pour les budgets militaires — soit *plus de mille fois plus*!!! Est-il surprenant qu'aujourd'hui nous soyons mille fois plus habiles à générer la guerre qu'à créer la paix?

Il existe de remarquables similitudes entre notre situation actuelle relativement aux Nations Unies et la situation dangereuse dans laquelle étaient placés les États-Unis il y a deux siècles. Dans son livre «*Let's Abolish War*», Tom Hudgens fait remarquer que sous l'égide des Articles de la Confédération, le Congrès continental,

1) n'avait pas de pouvoir de taxation indépendant;
2) ne pouvait pas contrôler le commerce extérieur ou entre les États;
3) n'avait aucun pouvoir direct pour faire respecter ses lois;
4) était impuissant dans les affaires étrangères;
5) n'avait pas de chef exécutif;
6) n'avait pas de cour de justice.

«Réalisez-vous, demande Hudgens, que chacun de ces reproches peut être fait aux Nations Unies aujourd'hui? Nous vivons actuellement selon les Articles de la Confédération, excepté que nous les appelons les Nations Unies.»

Plutôt que de tout recommencer à zéro, réformer les Nations Unies peut être notre meilleur choix pour assurer rapidement la sécurité et le respect de notre droit fondamental en tant qu'être humain. Une révision de la Charte et sa ratification par les nations du monde est maintenant nécessaire. Il ne sera certainement pas facile de persuader les nations de modifier leur comportement, mais cela peut être fait. *Depuis des années, les experts des Nations Unies savent ce qu'il y a à faire. Mais ils sont impuissants sans l'autorisation des nations elles-mêmes.* Ils attendent que nous posions les gestes nécessaires pour amener les diplomates à élargir leur vision des choses.

> *Nous cherchons à renforcer l'Organisation des Nations Unies, à l'aider à résoudre ses problèmes financiers, afin qu'elle puisse devenir un instrument plus efficace pour la paix, et qu'elle puisse se développer en un authentique système de sécurité pour le monde... capable de résoudre les conflits à partir de la loi, d'assurer la sécurité des grands et des petits, et de créer des conditions dans lesquelles l'armement pourra finalement être aboli... Ceci va demander un nouvel effort pour finalement arriver à un système de loi mondial.*
>
> John F. Kennedy
> Président des États-Unis

Ceci donnera alors le champ libre à ces experts pour faire face efficacement à cette situation internationale désordonnée — et leur donnera le pouvoir de créer une base solide pour la construction d'une ère d'abondance et de paix sur la terre.

Confédération versus fédération

Afin de réaliser la cinquième étape et ainsi de permettre aux Nations Unies d'être plus efficaces pour l'âge nucléaire, nous devons percevoir clairement **les différences clés entre les Nations Unies d'aujourd'hui et la Fédération Mondiale dont nous avons besoin pour demain.** De la même façon que les termes «Confédération» et «Fédération» prêtaient à confusion pour les délégués de Philadelphie en 1787, aujourd'hui on ne comprend pas la signification réelle de ces termes. Dans sa brochure *«We the People»,* l'Association fédéraliste mondiale nous aide à clarifier les différences entre une société (league), ou confédération, et une fédération, ou union*.

Dans une confédération (comme les Nations Unies) chaque État fait ce qui lui plaît, indépendamment des conséquences pour l'ensemble; dans une *fédération* ou union (comme les États-Unis), chaque État accepte certaines limitations pour garantir la sécurité du tout.

Dans une confédération, le corps central est seulement un groupe permettant le débat mais n'ayant aucune autorité qui lui permette d'exercer un contrôle sur la conduite dangereuse de certains participants; dans une *fédération,* le corps central émet des lois en vue de la protection de tous et poursuit les individus qui les violent.

Dans une confédération, toute exécution de la loi ne s'applique qu'aux États membres; dans une *fédéra-*

* On peut en obtenir une copie en écrivant à la World Federalist Association, 417 Seventh Street, S.E, Washington, D.C. 20003.

tion, la loi est mise à exécution pour tout individu qui ne la respecte pas.

Dans une confédération, les conflits entre les membres se poursuivent sans répit, entraînant des dépenses très élevées en course aux armements et en guerres; dans une *fédération,* les conflits entre les États sont réglés au sein d'un parlement fédéral et de cours fédérales.

Une confédération n'a aucune source de revenus indépendante; une *fédération* a ses propres sources de revenus.

Dans une confédération, la loyauté envers l'état prévaut sur la loyauté envers la communauté plus large du Tout; dans une *fédération,* la loyauté envers chaque État est équilibrée par la loyauté envers l'ensemble plus large que forme la communauté.

A la recherche de la meilleure solution

Vous sentiriez-vous en sécurité si un congrès formé de personnes provenant de tous les pays décrétait des lois internationales ayant force exécutoire? Pourrait-on abuser de vous? Seriez-vous trop lourdement imposé? Vos droits pourraient-ils être ignorés? Un dictateur pourrait-il s'emparer du pouvoir? Pouvons-nous mettre sur pied une législature mondiale, une cour de justice et une section exécutive qui protégeraient notre pays mieux que ne le font nos militaires? De quelle façon pouvons-nous réellement améliorer notre «protection» à partir d'une réforme de l'ONU? De quelle façon pouvons-nous réformer l'ONU afin de générer une *prospérité sans précédent?*

> *Beaucoup de ces propositions peuvent paraître anti-patriotiques ou même de véritables trahisons à ceux qui identifient le patriotisme avec la dévotion au pouvoir militaire américain... Si le patriotisme est un souci actif pour la liberté, le bien-être et la survie de son propre peuple, il n'y a pas de devoir patriotique plus immédiat que d'exiger l'abolition de la guerre en tant que droit national et en tant qu'institution.*
>
> Cord Meyer
> *Peace or Anarchy*

Comme George Washington et Benjamin Franklin pourraient en témoigner, il n'y a pas de façon simple et unique pour perfectionner une nouvelle institution. Cela demande une ouverture d'esprit et une volonté intelligente pour bien vouloir examiner tous les points de vue, pour mettre de côté ses préjugés et ses convictions personnelles. Cela demande aussi d'être assez patient pour écouter et chercher, jusqu'à ce que soient trouvées et acceptées des réponses adéquates. Tout comme le succès américain de 1787 exigeait que les différents États soient satisfaits, de la même façon nous devons créer une ONU transformée qui puisse satisfaire les besoins et les intérêts des différentes nations du monde.

De nombreuses suggestions ont été faites pour améliorer l'Organisation des Nations Unies et la rendre plus efficace dans son rôle de gardienne de la paix. L'une d'entre elles, connue sous le nom de *Binding Triad* (la «Triade obligatoire») nous vient de Richard Hudson, fondateur du Center for War/Peace Studies (Centre d'étude sur la Guerre et la Paix). Elle propose deux modifications fondamentales de la Charte de l'ONU :

> *Cette planète est en mauvais état politique. Elle est administrée en dépit du bon sens. Une équipe d'inspection extra-terrestre nous donnerait certainement la note E (pour échec), ou une mention «stupide, idiot et dangereux» pour notre performance en gestion planétaire. Notre monde est affligé d'une bonne douzaine de conflits presque en permanence. Son ciel, ses terres et ses océans sont infestés d'armes atomiques qui coûtent huit cent cinquante milliards de dollars par année à l'humanité, pendant qu'un nombre effrayant de personnes meurent de faim sur cette même planète. Et cependant, j'ai vu l'ONU devenir universelle et prévenir de nombreux conflits. J'ai vu la page dangereuse de la décolonisation être tournée rapidement et avec beaucoup moins de sang versé qu'en Europe et en Amérique lors des siècles passés. J'ai vu le développement remarquable de la coopération internationale, grâce aux trente-deux agences spécialisées et programmes mondiaux de l'ONU.*
>
> Robert Muller
> Ancien Sous-Secrétaire général
> de l'ONU
> Chancelier de l'Université
> pour la Paix
> Auteur de *What War Taught
> Me About Peace*

Le système de vote lors de l'Assemblée générale doit être modifié. Les décisions importantes pourraient encore être prises par un vote unique, *mais à partir de trois majorités simultanées à l'intérieur de ce vote.* L'acceptation d'une décision exigerait que le vote majoritaire soit formé 1) des deux tiers des membres présents et votant (comme cela se fait actuellement), 2) des nations représentant les deux tiers de la population de l'ensemble des pays présents et votant, et 3) des nations représentant les deux tiers des contributions financières apportées au budget courant calculé à partir des membres présents et votant. Donc, pour qu'une résolution soit acceptée elle devra être fortement soutenue par la plupart des pays du monde, par une grande partie de la population du monde, et par une grande partie des forces politiques, économiques et militaires réparties dans le monde.

Les pouvoirs de l'Assemblée générale seraient fortement accrus par le fonctionnement de cette «Triade obligatoire» *(Binding Triad).* Dans la majorité des cas ses décisions seraient mises obligatoirement en action; elles ne resteraient pas de simples recommandations comme c'est le cas actuellement. Cette nouvelle Assemblée générale pourrait utiliser les Forces pour le maintien de la paix et (ou) des sanctions économiques pour faire exécuter ses décisions. Cependant, il ne serait pas permis à l'Assemblée «d'intervenir dans des questions relevant essentiellement de la juridiction d'un État particulier». S'il n'était pas clair que la question relève ou non du domaine de la juridiction interne d'un pays, le problème serait alors porté devant le Tribunal mondial, et si le tribunal décidait que la question est essentiellement d'ordre domestique, l'Assemblée n'aurait pas de droit d'intervention*.

---

*On peut obtenir un supplément d'information ainsi qu'une cassette video sur la *Binding Triad,* en écrivant au Center for War/Peace Studies, 218 E. 18th Street, New York, N.Y. 10003. Tél.: (212) 475-1077.

Ceci n'est qu'une possibilité parmi d'autres permettant d'octroyer des pouvoirs législatifs spécifiques à l'Assemblée générale. Une constitution mondiale pour une fédération planétaire a été rédigée par la World Constitution and Parliament Association dirigée par Philip Isely de Lakewood au Colorado. Il existe bien des façons de réformer l'ONU pour donner au monde un système de lois obligatoires, une Cour internationale de Justice et une section exécutive pour faire appliquer la loi appuyée par une force militaire internationale, *qui remplacerait les forces armées de terre, de l'air et navales.* Un programme en quatorze points est présenté à la page 106. De nombreux modèles, de nouveaux systèmes internationaux pour créer un ordre mondial ont déjà été préparés par des experts, parmi lesquels on peut compter le professeur Richard Falk de l'université de Princeton, le professeur Saul Mendlovitz de Rutgers et le professeur Louis Sohn de l'université Harvard. Grâce à un système de contrôle et d'ajustement sûr, on peut obtenir un système général complet qui permettra au monde de fonctionner sainement! Il semblerait que les dirigeants actuels n'aient pas la volonté politique de faire les changements nécessaires à l'ONU.

Alors, il est temps que le public prenne la parole.

Une fois l'unité mondiale réalisée, voulons-nous permettre un divorce facile au cas où une nation veuille se retirer parce qu'elle n'est pas d'accord sur un point? La Guerre civile américaine de 1861-1865 détermina si un État pouvait quitter l'Union fédérale en cas de désaccord avec sa politique. La victoire de l'Union démontra clairement qu'aucun État ne pouvait quitter le Gouvernement fédéral après qu'il eut accepté d'en être membre. Accepter que les politiciens d'un pays qui seraient mécontents puissent rallier les gens à l'idée de se retirer, ce serait signer la fin du système mondial. Une fois qu'un pays accepte de participer à l'ONU réformée, son acceptation doit être permanente.

Cord Meyer nous avertit qu'«en se retirant de l'organisation, un pays pourrait se libérer de la supervision internationale, déclencher une reprise de la course aux armements et réamorcer le processus de la guerre. Étant donné la nature des nouvelles armes, la sécession signifierait l'agression.»

Comme nous l'avons déjà fait remarquer, *il n'y a pas qu'une seule façon* de transformer les Nations Unies en un gouvernement mondial. Il est important que chacun réfléchisse à cette question vitale, et arrive à ses propres conclusions au sujet des moyens possibles pour atteindre ce but. Puis, il faut en discuter avec nos amis et nos voisins qui, sans aucun doute, auront eux aussi leurs propres idées. C'est seulement à travers la rencontre de toutes sortes d'opinions qu'une vérité vivante pourra apparaître, vérité qui nous permettra de trouver des moyens efficaces pour créer une structure gouvernementale mondiale valable.

Le défi de notre époque

Nous sommes arrivés à un point crucial d'évolution de l'histoire. Nous sommes sur le point de réaliser de très grands progrès. Nous sommes arrivés au point où des guerres de grande envergure ne sont plus compatibles avec l'avenir de la race humaine. Nous avons dépassé le stade où

> *Quand les jeunes constatent qu'il y a des adultes qui travaillent à une résolution pacifique des conflits, ils peuvent avoir plus d'espoir et de confiance en leur propre avenir.*
>
> Mary Finn, 1984
> Kent State University

le pouvoir militaire peut représenter une protection. Au contraire, actuellement, il nous menace tous de mort. Ceci va nous pousser à l'action.

Même si nous n'étions pas menacés par la guerre nucléaire, nous bénéficierions énormément d'une réforme de l'ONU. Avec une république mondiale, nos enfants pourraient bénéficier d'une plus grande prospérité et de

UN PROGRAMME EN 14 POINTS
pour réformer les Nations Unies

1. Améliorer le processus de prise de décision de l'Assemblée générale.
2. Modifier le système de veto au Conseil de Sécurité.
3. Créer une Organisation pour le Désarmement International.
4. Améliorer le système de règlement des conflits.
5. Améliorer les pouvoirs de l'ONU en matière de maintien de la paix.
6. Fournir à l'ONU un revenu stable et adéquat.
7. Utiliser plus souvent les services de la Cour internationale de Justice.
8. Créer une Cour criminelle internationale pour juger les pirates de l'air et les terroristes.
9. Améliorer, au sein de l'ONU, le mécanisme de protection des droits de la personne.
10. Créer, au sein de l'ONU, des programmes plus élaborés pour la protection de l'environnement.
11. Désigner des autorités internationales pour assurer la supervision des secteurs qui ne sont pas sous contrôle national.
12. Créer un système monétaire et un système de commerce mondial qui soient plus efficaces.
13. Établir un programme de développement plus solide pour l'ONU.
14. Réformer le système administratif de l'ONU.

Pour plus de détails, écrire à : Campaign for U.N. Reform (Campagne pour la Réforme de l'ONU), 418 Seventh Street, S.E., Washington, D.C. 20003. Tél.: (202) 546-3956.

meilleures opportunités personnelles pour se créer une belle vie et d'une plus grande protection de leurs droits humains et de leurs libertés.

Au siècle dernier, pour arrêter la violence au Far-West, on nomma des shérifs et des juges chargés de protéger les gens de ceux qui transgressaient la loi. C'est exactement ce qu'il faut faire aujourd'hui. Retirons les revolvers des poches de ces cent cinquante-neuf pays irrités, et organisons un système mondial de «shérifs». Les Forces de Paix de l'ONU, soutenues par un système mondial de tribunaux veillant à la justice internationale, peuvent nous permettre d'être beaucoup plus en sécurité que l'anarchie actuellement présente dans le monde ne peut le faire.

> *Une fédération formée par toute l'humanité en même temps que des moyens suffisants de justice sociale pouvant assurer la santé, l'éducation et des chances relativement égales d'épanouissement signifieraient une telle libération et une telle augmentation de l'énergie humaine disponible que cela ouvrirait une nouvelle phase de l'histoire.*
>
> H.G. Wells
> Historien éminent

Imaginez la différence que cela fera dans votre vie et celle de vos proches. Les lourds impôts qui ruinent notre économie année par année n'auront plus besoin d'être prélevés pour nourrir une avide machine de guerre. Nos enfants pourront avoir confiance dans leur avenir. Le commerce pourra être libéré des barrières qui limitent les possibilités d'expansion. Nous pourrons commencer à améliorer efficacement la qualité de l'air que nous respirons et de l'eau que nous buvons. L'éducation, les soins médicaux, et la qualité de vie en général pourront être grandement améliorés si le monde cesse de dépenser un million et demi de dollars par minute pour accroître sa capacité de destruction. *Une Force de Maintien de la Paix relativement petite, de quelque cent mille personnes bien entraînées et bien équipées, pourrait remplacer les millions de soldats actuellement en armes qui menacent et détruisent constamment la paix sur la planète.*

Durant les derniers siècles, un éveil de conscience graduel a eu lieu face à l'importance d'une législature internationale qui pourrait avoir priorité sur les passions militaires de ces cent cinquante-neuf pays distincts existant actuellement sur la planète. Nous avons essayé les tribunaux mondiaux, et nous avons constaté qu'ils sont efficaces si nous le voulons. Nous avons formé des organisations internationales telles que la Société des Nations et les Nations Unies. Chacune a représenté un pas en avant.

Toutes ces expériences, ces mises à l'épreuve, tous ces essais et ces espoirs *ont été importants et nécessaires pour nous permettre de grimper l'échelle de l'évolution internationale* en vue de la formation d'une structure gouvernementale mondiale. C'est à nous que se présente maintenant le glorieux défi de la création d'une paix et d'une prospérité mondiales permanentes, en transformant les Nations Unies en une république mondiale. Nous n'avons pas besoin d'être d'accord sur tous les détails. Ce qui est essentiel c'est la détermination de rendre l'organisation efficace.

Nous ne pouvons plus prétendre que nous ne savons pas ce qu'il faut faire. Combien de temps va-t-il falloir attendre pour qu'un premier ministre, un président ou un secrétaire général propose un Congrès pour la Réforme des Nations Unies, ou une Convention constitutionnelle internationale, et invite tous les pays à envoyer des délégués? Voilà une occasion d'exercer l'art de gouverner de façon glorieuse et au plus haut niveau. Saisissons cette occasion qui nous est donnée de créer l'histoire, et acceptons le challenge de la création de la paix dans le monde dès à présent et pour toujours.

L'émergence de l'ère planétaire (PlanetHood)

Des pays de plus en plus nombreux seront intéressés à coopérer au sein des Nations Unies réformées. Ils devront en effet répondre à l'exigence de leur population de ne plus gaspiller le meilleur de leurs ressources pour essayer de faire sauter le monde. Relativement à leurs libertés et à leurs droits nationaux, ces pays désireront bénéficier de la protection beaucoup plus sûre et beaucoup moins onéreuse que peut leur offrir un gouvernement mondial. Et finalement, ils pourront sortir de la course aux armements et jouir d'un niveau de vie beaucoup plus élevé dans tous les domaines (éducation, culture, soins médicaux, etc.).

Le temps est venu maintenant, pour ces pays, de réformer la Charte de l'ONU. Ils deviendront une force puissante quand *ils s'uniront et agiront ensemble*. Tôt ou tard, les pays qui auront résisté au début viendront se joindre aux autres, tout comme, il y a deux siècles, les États résistant à l'unification découvrirent *qu'ils ne pouvaient pas s'offrir le luxe de laisser passer les nombreux avantages disponibles* s'ils faisaient partie des États-Unis.

Suivant l'exemple de Paul Revere, réveillons nos voisins. Exigeons une législation internationale efficace, des tribunaux mondiaux, et un système de mise à exécution de la loi efficace au sein d'un système sûr de contrôle et de juste équilibre. Travaillons sans cesse jus-

> *L'idée d'un système de sécurité large et intelligent doit être la première étape pour réaliser une nouvelle organisation de la vie au sein de notre demeure planétaire commune. En d'autres mots, c'est un laissez-passer pour notre avenir, où la sécurité de tous est une garantie de la sécurité de chacun. Nous espérons que la session de l'Assemblée générale des Nations Unies actuellement en cours développera et concrétisera cette idée dans un esprit de solidarité.*
>
> Mikhaïl Gorbatchev
> Secrétaire général de l'URSS
> Article paru dans *La Pravda*
> du 17 septembre 1987.

qu'au jour où nos lignes de front de défense seront constituées de brigades internationales de procureurs et d'avocats pratiquant devant une Cour internationale de Justice. Alors nous aurons finalement assuré le respect de notre droit fondamental en tant qu'être humain de vivre dans un monde de paix, libre de toute menace de mort causée par une guerre nucléaire.

Nous avons besoin de gens sur qui l'on peut compter. Sommes-nous prêts à aider notre monde sans gouvernement à créer un système mondial qui puisse fonctionner? En tant que Patriote de la Paix du XXIe siècle, nous saurons que nous avons fait tout ce que nous pouvions pour nous sauver, nous et notre famille, et sauver tous les hommes, toutes les femmes et tous les enfants vivant sur cette planète, maintenant et pour les générations à venir.

CELA DÉPEND DE CHACUN DE NOUS!

6ᵉ étape

En parler à nos amis et à nos voisins

6ᵉ étape

En parler à nos amis et à nos voisins

AFIN D'ÉVITER l'extinction de la race humaine par une guerre nucléaire, il est important d'apporter la bonne nouvelle à nos amis et à nos voisins : *un moyen sûr a été trouvé pour nous débarrasser des machines de destruction de masse aussi bien nucléaires que conventionnelles.* Grâce à une réforme de l'Organisation des Nations Unies qui serait dotée d'un système de lois internationales amélioré et d'un système d'exécution des lois, nous pouvons donner à tous les habitants de la planète *un niveau de sécurité que nous sommes loin d'avoir atteint actuellement.*

Pour aller au-delà des peurs et des préjugés

Avant que nous ne puissions commencer à penser en termes planétaires, nous devons diminuer les tensions existant entre l'Union soviétique et les États-Unis. En dépit de grandes divergences, nous sommes convaincus que ces deux pays peuvent s'entendre. En fait, il en va de l'intérêt des deux nations. Et nous devons aller au-delà des peurs et des préjugés qui divisent actuellement les citoyens de ces deux grandes puissances.

Beaucoup de personnes dans le monde pensent que *communisme et capitalisme sont incompatibles et irréconciliables.* Les doctrines marxistes-léninistes ont préconisé le renversement de la classe capitaliste par une révolution et une dictature du prolétariat. Les communistes ont violemment réprimé la dissidence. Dans les pays communistes, la propriété privée et les moyens de production appartiennent à l'État. Toute religion organisée est perçue comme l'opium du peuple et a été critiquée et réprimée.

Les livres d'histoire américains dénigrent la naissance violente du système soviétique en 1917, au cours de laquelle un grand nombre d'aristocrates russes, de propriétaires terriens et d'opposants politiques furent assassinés. La perfidie de Staline signant un pacte avec Hitler en 1939 n'est pas oubliée. Nous nous rappelons le refus de l'Armée Rouge, après la Deuxième Guerre mondiale, d'évacuer les pays de l'Europe de l'Est jusqu'à ce que des régimes commu-

> *Il n'y a aucun résultat en jeu dans nos relations politiques avec l'Union soviétique, aucun espoir, aucune peur, aucune de nos aspirations, rien que nous ne voudrions éviter, qui puisse justifier raisonnablement une guerre nucléaire.*
>
> Professeur George Kennan, 1985
> Ex-ambassadeur américain à Moscou

nistes fantoches y soient installés. La répression de la liberté en Tchécoslovaquie, en Hongrie et en Pologne par les Soviétiques constitue un autre point douloureux. L'occupation militaire de l'Afghanistan par l'URSS, en dépit d'une condamnation mondiale, a été une cause d'irritation continuelle.

L'expansion de l'influence soviétique partout sur la terre et l'établissement de gouvernements communistes ou socialistes dans des contrées de l'hémisphère ouest comme Cuba et le Nicaragua sont perçus comme une menace à la survie de la démocratie. Il semble que la subversion communiste et l'expansion soviétique doivent être contenues si l'on veut préserver les intérêts vitaux des autres nations. Nous avons peur d'une réaction en chaîne et nous craignons de perdre notre qualité de vie garantie par le système capitaliste.

Des restrictions sur l'immigration, la répression des dissidents et la violation d'autres droits humains allongent la liste des sujets de mécontentement. La croissance du pouvoir militaire soviétique accroît l'anxiété des États-Unis et de ses alliés.

La réaction américaine est de résister à l'expansion soviétique, de soutenir ceux qui s'opposent aux interventions soviétiques et de défendre vigoureusement les intérêts américains. Pour réaliser ces objectifs, on cherche à augmenter le pouvoir politique, militaire et économique des États-Unis et de ses amis, et à combattre l'influence soviétique par une opposition déclarée ou cachée, partout où celle-ci peut se manifester.

> *La raison fondamentale de la frustration ressentie lors des efforts effectués en vue du désarmement est que les négociations engagées pour le désarmement ont toujours cherché à traiter les symptômes de la course aux armements, c'est-à-dire les forces militaires, plutôt que la réelle cause sous-jacente, à savoir l'incapacité qu'a notre petite planète de créer une façon nouvelle de résoudre les conflits sur laquelle les pays pourraient compter pour assurer leur sécurité. Toutes les nations ont ressenti le besoin de posséder des forces armées depuis des siècles, et c'est trop leur demander que de désarmer au milieu d'un vide politique. S'ils lâchent leurs armes, comment vont-ils assurer leur sécurité?*
>
> Richard Hudson
> Directeur du Center
> for War/Peace Studies

Pour comprendre le point de vue soviétique, nous devons nous rappeler que le capitalisme est perçu comme un système social exploitant la classe ouvrière. Les Soviétiques font remarquer aux Américains que le chômage, l'inflation, les récessions, le manque de logement, le racisme et la pauvreté constituent la preuve que le système oppressif capitaliste sera un jour «enterré» par l'histoire. Les vieux dirigeants russes se rappellent que les troupes américaines débarquèrent à Mourmansk en 1918 pour aider à renverser la révolution communiste et que l'Amérique refusa de reconnaître l'Union soviétique jusqu'en 1933. L'intervention des États-Unis dans les affaires d'autres nations est perçue comme un effort pour préserver un statu quo injuste dans le but de retirer des bénéfices profitant aux riches, mais qui sont réalisés sur le dos des pauvres.

L'Union soviétique reproche aux États-Unis leur usage illégal de la force militaire directe et indirecte au Viêt-Nam, à Cuba, à la Grenade, au Moyen-Orient et dans les pays d'Amérique latine, percevant ces actions comme une preuve des buts d'expansion impérialiste de l'Amérique. Elle condamne le soutien américain aux Contras dans leur guerre contre le Nicaragua comme étant un cas d'agression flagrante. Le refus des États-Unis de se soumettre aux décisions de la Cour internationale de Justice (que l'URSS n'a jamais acceptée) est dénoncé comme une marque de l'hypocrisie américaine. L'aide économique et militaire américaine à des régimes dictatoriaux et répressifs est perçue comme une preuve supplémentaire de la mauvaise volonté américaine.

> *Nous sommes tous les élèves d'un maître qui s'appelle la vie, le temps. Je crois que de plus en plus de gens en viendront à comprendre qu'à travers la RESTRUCTURATION au plein sens du terme, l'intégrité du monde sera renforcée. Ayant reçu l'approbation de notre maître principal — la vie — nous entrerons dans le XXIᵉ siècle bien préparés et sûrs que naîtront encore de nouveaux progrès.*
>
> Mikhaïl Gorbatchev
> *Perestroïka : Vues neuves sur notre pays et le monde.*

Les développements accélérés de l'armement américain sur terre, sur mer et dans l'espace, le déploiement des missiles nucléaires tout autour de l'Union soviétique, aussi bien que les plans pour construire un bouclier impénétrable dans l'espace, sont perçus par les Soviétiques comme une rupture des ententes par les Américains et comme une préparation pour attaquer les premiers dans une guerre nucléaire. Le souvenir de vingt millions de citoyens tués dans la Deuxième Guerre mondiale nourrit leur anxiété à propos des armements américains.

La coexistence pacifique

Malgré leur crainte, les dirigeants soviétiques ont souvent parlé en faveur d'une réduction de la tension internationale et ont qualifié de «dangereuse folie» l'idée d'une victoire possible lors d'une guerre nucléaire. L'ex-Président Reagan est arrivé à la même conclusion. Au mois de février 1984, le Président soviétique, s'adressant au Comité central du Parti communiste, se déclarait en faveur de «principes d'une coexistence pacifique des États possédant des systèmes sociaux différents». Il continuait en disant : «Nous n'avons pas besoin d'une supériorité militaire. Nous n'avons aucune intention d'imposer notre volonté aux autres... Nous sommes intéressés à un règlement pacifique de tous les conflits internationaux au moyen de rencontres et d'échanges sérieux, constructifs, durant lesquels nous pouvons nous parler d'égal à égal.»

> *Un gouvernement mondial n'est pas un «but ultime», mais bien une nécessité immédiate. En fait, cela aurait dû être réalisé dès 1914. Les convulsions des dernières décennies ne sont que les symptômes très clairs de la décomposition et de la mort d'un système politique.*
>
> Emery Reves
> *Anatomie de la Paix*

Les différences existant entre les États-Unis et l'URSS ne justifient certainement pas que chaque partie coure le risque de détruire l'avenir de l'humanité dans l'espoir éventuel de réaliser ses propres buts. L'ex-Secrétaire d'État américain George Shultz disait : «Un monde pacifique n'exige pas que les Soviétiques et nous-mêmes soyions d'accord sur tous les principes moraux ou politiques.» Les États-Unis aussi bien que l'Union soviétique reconnaissent clairement le besoin d'une coopération mutuelle. Le Secrétaire général Gorbatchev fait appel à «une nouvelle façon de penser» pour l'Union soviétique et le monde. Il est d'accord avec bien des buts qui ont toujours été chers à l'Amérique. Sa sincérité devra être vérifiée. *Les différences d'idéologie ne doivent pas aveugler les nations au point d'ignorer le besoin qu'ont tous les êtres humains de vivre en paix.*

Nous pouvons être amis

Malgré les différences idéologiques, les États-Unis entretiennent d'excellentes relations avec beaucoup de pays possédant des systèmes politiques très différents : socialistes, communistes ou dictatoriaux. Ils favorisent des contacts amicaux avec des alliés soviétiques tels que la Pologne, la Hongrie et la Roumanie. Le fait que la Chine a un gouvernement communiste n'empêche pas les États-Unis d'être en bons termes avec ce très vieux pays. La présence d'un pays communiste actif, Cuba, à cent cinquante kilomètres des côtes américaines ne dérange apparemment pas la sécurité ou le bien-être des citoyens américains sur leur propre territoire. L'histoire récente, les traités avec l'Allemagne, l'Italie et le Japon ont démontré que même des ennemis en temps de guerre peuvent devenir des amis en temps de paix. *La Russie et l'Amérique étaient alliées pendant la guerre; elles peuvent être amies en temps de paix.*

> *C'est bien étrange : nul n'envisagerait un instant une famille, une ville, une école, une entreprise, une usine, une ferme, une institution, une religion ou une nation sans un chef, un directeur, un administrateur, ou un gouvernement. Mais on accepte sans hésitation que le monde en soit totalement dépourvu! Peut-on être surpris dès lors qu'il y ait tant de guerres, d'actes de violence et de crises globales sur cette planète?*
>
> Robert Muller
> Ancien Sous-Secrétaire général de l'ONU
> Chancelier de l'Université pour la Paix
> Auteur de *A Planet of Hope*

Si l'on regarde au-delà d'une rhétorique primaire (utilisée souvent à des fins de consommation politique locale) et que l'on considère les objectifs plus larges que les dirigeants américains aussi bien que soviétiques ont clairement reconnus, une entente valable au moyen de compromis raisonnables doit être possible. Ce que les dirigeants des deux nations ont à faire maintenant, tout comme le firent George Washington et les Pères Fondateurs américains, c'est de rassembler assez de volonté, de sagesse, de détermination, de patience et de courage pour poser les gestes spécifiques menant à la réalisation des buts communs déclarés.

Nous devons apprendre à aller au-delà des hostilités traditionnelles et abandonner l'habitude d'identifier tous les citoyens avec les politiques de leur gouvernement. Rien de constructif ne peut être réalisé par le blâme stérile des erreurs passées *qui de toute façon furent générées par des dirigeants qui sont sortis depuis longtemps de la scène internationale.* Ajouter du venin à une blessure empoisonnée ne soigne rien. Le dénigrement de toute une nation conduit à une distorsion dangereuse de la réalité.

Si notre monde veut réaliser une coopération planétaire *(PlanetHood)* et non pas se retrouver au milieu d'un désastre, les deux ailes, aussi bien la droite que la gauche, doivent apprendre à travailler harmonieusement ensemble. Ce qui est important, ce n'est pas la ligne dure ou la ligne douce, mais la ligne qui va nous mener à la paix.

L'arrêt de la course aux armements

Nous pouvons faire comprendre aux gens autour de nous que nous devons rapidement réformer les Nations Unies au moyen d'une législature mondiale, d'un système de tribunaux mondiaux et d'une section exécutive capable de faire respecter la loi et de maintenir la paix. Aujourd'hui, cinquante mille dispositifs nucléaires ne nous donnent aucune sécurité; au contraire, ils représentent le plus grand danger que l'humanité ait

> *Désormais, toute politique étrangère d'un pays doit être jugée, à chaque moment, selon un critère : cette politique nous rapproche-t-elle d'un monde d'ordre et de paix, ou nous ramène-t-elle à l'anarchie et à la mort?*
>
> Albert Einstein

jamais connu. Un système mondial amélioré *rendra sécuritaire* l'arrêt de la course aux armements, qui coûte environ un million et demi de dollars par minute au monde entier.

Nous devons nous assurer que l'argent de nos impôts est utilisé pour le bénéfice de notre société, et non pour sa destruction. Avec chaque milliard de dollars dépensés pour des dispositifs de mort, nous créons environ vingt-huit mille emplois. Ce même montant d'argent pourrait en créer soixante et onze mille s'il était utilisé pour l'éducation et cinquante-sept mille s'il était utilisé pour acheter des biens et services. Chaque habitant de cette planète est certainement plus intéressé à dépenser de l'argent pour vivre que pour mourir. Mais très peu de personnes réalisent **l'incroyable abondance que nous pourrons créer dès que nous serons libérés de notre dépendance envers des machines de guerre terriblement coûteuses.** Il y a un gaspillage incroyable (aussi bien qu'une énorme corruption) dans la production de systèmes militaires superflus. Selon le contre-amiral Gene R. LaRocque, retraité de l'armée américaine, «les armes sont souvent achetées principalement pour le bénéfice de grosses entreprises, et non pas pour la défense des États-Unis. En l'absence d'une véritable compétition dans l'industrie militaire, la recherche du profit est, pour les compagnies, un puissant stimulant qui les incite à vendre le plus d'armes possible au prix le plus élevé possible.» De plus, la puissance de création de la plupart des meilleurs cerveaux du monde se gaspille dans l'invention et la production d'armes destinées à la destruction de masse au lieu d'être utilisée pour une amélioration fondamentale de la qualité de vie humaine*.

---

* En ce qui concerne la survie de l'humanité, en plus de travailler à faire diparaître la menace nucléaire, il devient de plus en plus évident que nous avons besoin d'urgence d'immenses ressources aussi bien matérielles qu'intellectuelles pour résoudre les problèmes, non pas potentiels mais actuels et extrêmement développés, posés par la pollution et le grave déséquilibre écologique, ainsi que pour résoudre des problèmes mondiaux comme ceux relatifs par exemple aux épidémies de certaines maladies comme le SIDA. Les montants énormes de ressources nécessaires pour résoudre ces problèmes dont **dépend la survie actuelle de l'humanité ne peuvent être trouvés que dans les budgets militaires. (N.D.T.)**

La Guerre des Étoiles ne nous sauvera pas

Nous devons comprendre qu'il est plus intelligent et beaucoup moins cher *d'éliminer les missiles nucléaires* que de gaspiller des centaines de milliards de dollars à essayer de construire un bouclier dans l'espace qui, par chance, pourrait éventuellement intercepter quelques missiles nucléaires avant qu'ils ne détruisent leurs cibles et leurs habitants. Le programme horriblement coûteux de la Guerre des

> *Il y a de la fraude et une mauvaise gestion aux plus hauts niveaux du ministère de la Défense.*
>
> Lowell Weicker, Jr., Sénateur,
> 27 mars 1987
> Républicain
> Senate Appropriations Committee

Étoiles, même s'il fonctionne, *sera incapable d'arrêter les projectiles nucléaires se déplaçant à basse altitude lancés à partir de sous-marins, de navires, d'avions, ou à partir de pays voisins. Ces projectiles pourraient donc très facilement détruire n'importe quelle ville n'importe où.*

Un missile Tomahawk lancé depuis un sous-marin peut parcourir plus de deux mille kilomètres. Il voyage dans l'atmosphère, se faufilant à travers les appareils détecteurs du système de la Guerre des Étoiles. Quand on pose des questions spécifiques aux personnes qui dirigent actuellement le programme de la Guerre des Étoiles, elles répondent qu'effectivement ce système ne protégera pas les États-Unis autant que certains le prétendent. Ils s'attendent seulement à ce que cela soit efficace pour «protéger» certaines installations militaires spécifiques. Et cette protection elle-même n'est pas garantie à cent pour cent. Comme dans bien d'autres affaires relatives au nucléaire, les citoyens ne sont pas mis au courant de toute la vérité. Le coût de ce projet est évalué à plus d'un billion de dollars (c'est-à-dire plus d'un million de millions de dollars), et comme c'est souvent le cas lors d'estimations militaires, il coûtera sans doute beaucoup plus cher finalement, sans parler du coût du personnel employé pour le créer et ensuite le faire fonctionner. Et que dire des nuages de mort qui se précipiteront sur la planète dès que des missiles auront explosé dans l'espace? Le linceul nucléaire va tout simplement nous ensevelir. Le projet de la Guerre des Étoiles peut sûrement entraîner la faillite de l'économie américaine, mais il ne peut certainement pas nous protéger de la destruction causée par une guerre nucléaire.

Le docteur Helen Caldicott et l'ex-Président Dwight Eisenhower font tous deux porter le blâme de la folie nucléaire américaine sur ce que les experts politiques appellent le «Triangle de Fer» : les militaires, les politiciens et les industriels qui empochent les dollars par millions. Mais la responsabilité *revient* aussi *à chacun d'entre nous qui néglige de faire ce qu'il peut pour corriger cette situation.*

> *Ne faites pas confiance aux déclarations des gouvernements. Ils adaptent les faits en fonction de leur politique.*
>
> William J. Fulbright
> Ex-président du Sénat américain
> Foreign Relations Committee
> Le jour de son quatre-vingtième anniversaire

Les militaires font ce qu'ils ont appris à faire. Que ce soit au Kremlin ou au Pentagone, ceux qui commandent les forces armées doivent présumer que «l'ennemi» a l'intention d'attaquer. Et naturellement, ils demandent constamment de meilleures armes et en plus grand nombre. Une bonne façon d'obtenir encore plus que ce qu'ils ont, c'est de sous-estimer publiquement leurs propres forces alors qu'ils exagèrent celles de l'adversaire.

Les êtres humains oublient de se conduire humainement. C'est à NOUS de faire comprendre clairement aux gens autour de nous que la guerre n'est pas un jeu glorieux et que «l'accident» ne peut pas être considéré simplement comme une donnée statistique. Il s'agit de NOTRE fils, de NOTRE fille, de NOTRE mari, de NOTRE femme, de NOTRE ami et de NOUS! Quand les militaires demandent des milliards de dollars de notre argent pour construire des armements de destruction de masse, cherchons à savoir combien de *personnes* ces armes vont tuer, *qui* seront ces personnes et *pourquoi* ces personnes méritent un tel sort. Insistons pour avoir une réponse. Si nous ne sommes pas suffisamment intéressés pour nous informer et pour agir, alors nous partagerons le blâme.

Les finances militaires américaines sont contrôlées par le Congrès, et le Congrès est contrôlé par la population; tout comme les finances militaires d'autres pays sont contrôlées par leur gouvernement, et le gouvernement est contrôlé par la population. C'est à *nous,* électeurs avertis, *d'arrêter de voler les pauvres et les affamés pour nourrir une insatiable machine de guerre.* Entre 1960 et 1980, les dépenses militaires mondiales ont presque doublé. La courbe des dépenses pour les armes est constamment en train de monter. Les budgets militaires mondiaux excèdent présentement DEUX MILLIARDS DE DOLLARS PAR JOUR! Le plus ridicule et aussi le plus tragique, c'est que ces énormes dépenses militaires n'améliorent d'aucune façon la sécurité nationale; au contraire, elles la menacent. Il ne peut y avoir de gagnant dans une guerre nucléaire; tout le monde est perdant et perd absolument tout.

> *Tout le monde ici voudrait vraiment défendre le peuple des États-Unis. Le Président a présenté une proposition. Si vous pouviez agir en fonction de cette proposition selon laquelle nous allons rendre toutes les armes nucléaires impuissantes en les faisant disparaître, et allons en même temps assurer la défense des États-Unis, nous serions tous d'accord, si cela pouvait être fait. Mais le problème avec la proposition du Président est que rien de ce que le gouvernement essaie de faire à partir de cette proposition ne fonctionne. Tout le programme SDI (Guerre des Étoiles) est très séduisant, mais aussi frauduleux que séduisant.*
>
> Contre-amiral Gene R. Larocque,
> Marine américaine
> The Center for Defense Information
> 13 décembre 1987

La force d'un pays

La force d'un pays ne dépend pas uniquement de ses capacités de détruire les autres pays et de tuer leurs citoyens. La vraie sécurité nationale dépend de l'esprit de son peuple, du respect de celui-ci pour l'intégrité de ses diri-

geants, et de sa confiance dans la qualité et la justice de son gouvernement. Quand un gouvernement ment à la population ou l'exploite, alors il n'a plus le respect de son peuple et il perd son pouvoir, quelle que soit la puissance de son arsenal militaire. Aussi longtemps qu'une grande partie de la population aura l'impression d'être simplement un ensemble de pions dans le jeu dangereux et coûteux des politiciens, des militaires et des industriels, l'énergie vitale, l'unité et la détermination de la nation seront constamment sabotées.

Imaginez ce qui arriverait si, par la grâce du ciel, les Américains et les Soviétiques étaient dotés en même temps de dirigeants déterminés et capables de réaliser leur but déclaré relatif à un désarmement complet sous contrôles internationaux efficaces et appropriés. *Imaginez comment notre argent pourrait être utilisé pour recycler les travailleurs, pour stimuler le progrès de nouvelles industries, pour se libérer des dettes et déficits nationaux, pour diminuer les impôts et améliorer les conditions de logement, l'éducation et les soins médicaux, tout cela au profit des citoyens des deux grandes puissances, et aussi pour aider à améliorer la qualité de vie dans les pays en voie de développement.*

Une telle action serait certainement acclamée avec grand enthousiasme par tous les peuples de la terre! Il y aurait une explosion sans précédent d'affection et de reconnaissance pour ces deux nations qui auraient commencé à concrétiser leurs désirs de servir les intérêts de l'humanité, alors que jusqu'à présent, on n'avait eu droit qu'à des paroles. Est-ce que la sécurité nationale des États-Unis ou de l'Union soviétique en serait diminuée? Bien au contraire! Ce sont la stabilité et la croissance économiques qui améliorent la sécurité nationale. Est-ce que la popularité des dirigeants nationaux au sein de leur propre peuple serait réduite? Certainement pas! Les sondages d'opinion suivant la rencontre au sommet de Washington en décembre 1987 montrèrent que la popularité de M. Reagan aussi bien que celle de M. Gorbatchev monta en flèche lorsqu'ils conclurent un accord sur l'armement.

D'énormes réductions de dépenses militaires (rendues possibles par une Organisation des Nations Unies réformée, capable de maintenir la paix dans le monde) élimineraient le déficit du budget américain et de bien d'autres pays. Le peuple américain pourrait ainsi commencer à rembourser son énorme dette nationale. Il pourrait commencer à réduire graduellement son énorme déficit commercial en produisant des biens civils de meilleure qualité au lieu de produire de meilleures façons de détruire l'humanité. Les Soviétiques à leur tour seraient capables de produire plus de biens de consommation et, par le fait même, de mieux servir leur propre peuple. Le Japon, *dont la constitution interdit les armements de masse,* s'est relevé des cendres de la défaite de la Deuxième Guerre mondiale pour démontrer qu'aujourd'hui le pouvoir économique est plus important que le pouvoir militaire.

> *L'exercice, par quelques États-nations, de leur droit, jusqu'ici illimité, de mentir, d'assassiner, de terroriser, de faire la guerre et de justifier ces actions au nom de la «sécurité nationale» amène bien des gens à désespérer de l'avenir de notre planète. Mais il y a une solution à ce problème d'anarchie internationale : un système de sécurité commun à toutes les nations, soumis à une loi mondiale ayant force exécutoire.*
>
> Myron W. Kronisch
> Campagne pour la Réforme de l'ONU

Puisque les conséquences du désarmement sont tellement positives et désirables à tous les points de vue, c'est une insulte à l'intelligence humaine que de croire que de tels buts aussi raisonnables soient hors de portée. Si nous devons demeurer ensemble en paix sur cette planète, les perceptions habituelles d'intérêts particuliers basés sur le pouvoir militaire doivent être considérées comme faisant partie d'un âge révolu. *Toute l'humanité doit pouvoir vivre en paix sous le bouclier protecteur d'une coopération planétaire éclairée.*

La résolution des problèmes internationaux

Il est important que nos amis, amies, voisins et voisines comprennent que la sauvegarde de notre planète exige que nous ajoutions le palier final d'un gouvernement international pour être libérés de l'anarchie qui règne aujourd'hui sur la planète. *Des problèmes internationaux ne peuvent se résoudre que par des solutions internationales.* Voici une liste partielle des problèmes auxquels nous avons à faire face et qui *ne peuvent être résolus que par un gouvernement international :*

> *Il existe une vérité fondamentale dans cet âge nucléaire : aucune nation ne peut générer la sécurité par elle-même... La sécurité dans l'âge nucléaire signifie la sécurité commune. C'est là la conclusion principale de notre commission.*
>
> Cyrus Vance, 1982
> Ex-Secrétaire d'État américain
> *Common Security :*
> *A Blueprint for Survival*

* Des millions de gens tués dans des guerres incessantes.
* Des budgets militaires inadmissibles qui infligent des privations inutiles à tous les citoyens du monde.
* Le terrorisme international.
* Les pluies acides provenant de la pollution générée par certains pays et qui détruisent les forêts des pays voisins.
* La pollution de l'air par les retombées radioactives. (Il est bien connu actuellement que toute personne vivant sur cette planète a dans son corps une faible quantité de particules nucléaires radioactives provenant des débris de tests nucléaires, des échappées de matériel radioactif dans l'atmosphère, etc.).
* La destruction des océans et de la vie sous-marine.
* Les maladies infectieuses et contagieuses qui se répandent au-delà des frontières nationales.
* L'exploitation à outrance des minéraux de la planète, des ressources en pétrole et autres ressources naturelles.

* Des droits de douane qui limitent la libre circulation des biens et services au niveau international.
* La diminution de la couche d'ozone qui protège la vie sur la terre.

Notre monde interdépendant ne peut pas fonctionner efficacement sans une coopération internationale et une ouverture pour donner et recevoir. Une république mondiale fournira des occasions remarquables de développement au niveau de l'éducation, de la culture et des affaires et ceci pour tous, dans le monde entier. Elle pourra superviser une exploration des frontières de l'espace dans un esprit de coopération. *Elle pourra permettre à tous nos rêves d'êtres humains de devenir réalité.*

Une nouvelle ère de bonheur

Nous pouvons faire comprendre à nos amis que, *pour la première fois,* la coopération planétaire va permettre à tout le monde de jouir de l'abondance que peut offrir la technologie moderne, plutôt que de vivre sous la menace d'armes nucléaires qui peuvent nous détruire tous. Cette coopération peut ouvrir un nouvel âge pour le développement du potentiel créateur, artistique et spirituel qui réside en chacun de nous. Elle augmentera énormément notre capacité de bonheur et de bien-être sur cette planète.

> *Les papes de l'âge nucléaire, depuis Pie XII jusqu'à Jean-Paul II, ont affirmé que la construction d'un ordre international était le moyen d'éliminer le fléau de la guerre des affaires humaines.*
>
> Lettre pastorale des évêques catholiques américains, 1983

Il est important pour nous tous de réaliser que les vrais patriotes d'aujourd'hui doivent avoir **une perception internationale du monde,** une perception du monde beaucoup plus large que dans le passé. Le droit «à la vie, à la liberté et à la recherche du bonheur» mentionné dans la Déclaration d'Indépendance américaine de 1776 ne pourra être garanti au XXIe siècle que par la construction d'une nouvelle structure mondiale. Ces droits n'appartiennent pas seulement aux Américains. *Ils appartiennent à tous les êtres humains de cette planète.*

Les Patriotes de la Paix du XXIe siècle sont ceux et celles qui auront réalisé que l'humanité ne pourra survivre que si nous gagnons la course entre la coopération planétaire *(PlanetHood)* et la catastrophe nucléaire. Puisque maintenant nous connaissons et comprenons ce qui peut être fait pour sauver la planète, **c'est notre responsabilité de partager avec les autres cette nouvelle vision globale de l'humanité.** Nous devons aider ceux dont les pensées sont encore prises dans les ornières de la mentalité du Far-West, et qui désirent encore régler les problèmes par une destruction de masse; leur permettre d'élargir leur perception du monde et de trouver d'autres solutions.

Non à l'anarchie internationale.
Oui à la loi et à l'ordre!

7ᵉ étape

Chaque jour, poser un geste pour la Paix

7e étape

Chaque jour, poser un geste pour la Paix

Nous avons vu qu'après chaque Guerre mondiale, les différentes nations reconnaissaient, au moins pour un certain temps, qu'un changement était nécessaire pour créer un monde plus pacifique. La Première Guerre mondiale produisit le traité de la Société des Nations; la Deuxième Guerre mondiale nous donna la Charte de l'ONU. Les deux contenaient de hauts idéaux, et la promesse implicite que la guerre serait illégale. Si cela n'a pas encore fonctionné, ce n'est pas parce que nos dirigeants ne savaient pas ce qu'il y avait à faire; cela a été déjà exposé clairement depuis des années par des experts politiques compétents et dévoués. *La vérité est que nos dirigeants politiques n'osèrent simplement pas assez, ou ne voulurent pas assez. Et nous, la population, nous n'avons pas assez agi. Personne n'a vraiment pris la responsabilité de la situation, espérant que les autres trouveraient bien une solution.*

Dans notre monde en constante et rapide évolution, les preneurs de décisions importantes disposent de très peu de temps pour réfléchir. Puisque les dirigeants qui nous gouvernent ont été jusqu'à présent incapables de créer la paix dans le monde, c'est à nous et à toutes les personnes désirant la paix d'agir pour que les réformes nécessaires soient accomplies. *Rappelez-vous, si le peuple décide de bouger, les dirigeants vont suivre.*

Notre geste quotidien pour la paix

Étant donné que nous ne savons pas combien de temps il nous reste avant que cette situation instable n'explose, nous devons agir rapidement. Nos vies sont menacées par une erreur d'ordinateur qui provoquerait une fausse alerte, ou par un militaire ou un politicien fanatique qui déclencherait une chaîne d'événements conduisant à la destruction de l'humanité. Choisissons volontairement de créer une chaîne d'événements qui vont pouvoir sauver l'humanité.

> Ce dont nous avons le plus besoin et en priorité, c'est d'une démocratie mondiale, d'un gouvernement de cette planète pour le peuple et formé par le peuple. Mais le problème est tellement énorme et sans précédent que bien peu de penseurs politiques osent même le considérer. Ils se sentent plus à l'aise à discuter le nombre et la puissance de missiles destinés à protéger des territoires nationaux. Étant donné que les gouvernements et les institutions font preuve de tellement de lenteur et de résistance à s'engager dans cette voie, nous devons construire cette communauté mondiale à partir d'actions et d'engagements individuels.
>
> Robert Muller
> Ancien Sous-Secrétaire général
> de l'ONU
> Chancelier de l'Université
> pour la Paix
> Auteur de *A Planet of Hope*

Afin d'annoncer une chaîne d'actions et d'événements visant à nous sauvegarder de l'extinction par une catastrophe nucléaire, et de nous permettre ainsi de bénéficier des bienfaits de la coopération planétaire, nous suggérons que chacun de nous s'engage face à soi-même et face au monde à poser quotidiennement un geste concret pour la paix. C'est cette action quotidienne qui fera que la paix dans le monde aura avancé d'un pas, dès que *la loi de la force* sera remplacée par *la force de la loi.*

Un tel engagement de Patriote de la Paix ne doit pas être un fardeau. Dépendant du temps et de l'argent dont on dispose, on peut remplir notre engagement *chaque jour avec intégrité,* en décidant du maximum et du minimum de ce que l'on peut et veut faire. Par exemple, comme geste pour la paix, on peut écrire une lettre à un ami et lui parler de la réforme de l'ONU. Ou bien, on peut téléphoner à une personne qui nous est proche et discuter avec elle de ce que l'on peut faire pour amorcer le mouvement de réforme à l'ONU, ainsi que d'autres changements nécessaires. On peut faire don d'un petit montant d'argent à l'une des organisations travaillant à la réforme de l'ONU dont la liste est donnée dans l'appendice 1, ou à toute autre organisation travaillant dans le sens de la coopération planétaire.

Rappelons-nous que le montant importe peu; l'important, c'est de *faire quelque chose tous les jours*. On peut choisir de donner un exemplaire de ce livre chaque jour à une nouvelle personne. On peut s'organiser avec ses voisins et faire une commande de mille exemplaires à prix réduit. Tout ce qu'il reste à faire c'est alors d'offrir un livre par jour à quelqu'un, ou d'en laisser un exemplaire dans un endroit public, comme par exemple la salle d'attente d'un médecin, un aéroport, ou à la porte de quelqu'un. On peut offrir ce livre à un passant

> *Mieux vaut être actif aujourd'hui que radioactif demain.*

dans la rue, l'envoyer à un ami ou à un membre de sa famille, ou en envoyer un exemplaire à une personne qui a de hautes responsabilités sociales, ou à une personne influente dans les médias.

On peut aussi photocopier la Proclamation présentée dans l'appendice 4. Pour poser notre geste quotidien pour la paix, on peut alors recueillir la signature de toutes les personnes qui désirent réaffirmer leur Droit fondamental en tant qu'Être Humain, et envoyer le tout à l'ONU. Si ce geste est posé tous les jours, par de nombreuses personnes, cela peut créer un effet de synergie et avoir un impact très puissant!

Nous pouvons choisir pour notre contribution quotidienne un geste qui nous donne, à chacun personnellement, le sentiment de satisfaction de savoir que nos efforts servent à construire un avenir positif pour l'humanité. Si nos finances sont maigres pour le moment, on peut malgré tout mettre *chaque jour* un montant très minime dans une boîte appelée «PlanetHood». Si c'est la seule contribution que l'on est en mesure de faire, au bout d'une année cela fera malgré tout une petite somme. Et même ce petit montant peut représenter une aide pour un groupe qui travaille à promouvoir un système de gouvernement mondial. Si vous êtes plus riche, vous pouvez choisir de consacrer un certain pourcentage de vos revenus à des dons pour la cause de la paix et de l'abondance sur la terre, et considérer ces dons comme *un investissement dans votre avenir.* Car, après tout, à quoi vous servira votre argent si le monde est complètement détruit d'ici quelques années*?

Ce qui compte, c'est d'arriver à poser notre geste quotidien pour la paix. Et puisque le besoin est urgent, nous suggérons que notre engagement face à nous-mêmes et au monde soit respecté sept jours par semaine, et cinquante-deux semaines par année, jusqu'à ce qu'un gouvernement mondial soit formé. Notre contribution au monde peut avoir de

> *Si nous faisons l'erreur de ne pas saisir l'occasion qui nous est présentée maintenant, l'histoire ne nous le pardonnera jamais, si tant est qu'il y ait alors une histoire.*
>
> Thomas A. Watson, 1987
> Ex-ambassadeur américain à Moscou

grandes conséquences, et nous pouvons en faire également un projet agréable qui renforce l'estime que nous avons de nous-mêmes et notre sens profond de patriotisme international. Il est bien évident que nous devons éviter de traiter comme des ennemis ceux qui ne sont pas d'accord avec nous. Nous pouvons, au contraire, profiter de cette occasion pour ouvrir davantage notre cœur et notre esprit. On peut ne pas être d'accord avec quelqu'un sans pour cela devenir désagréable. Et même si tout le monde n'a pas nécessairement la même perception des choses que nous, cela ne nous empêchera pas de faire ce que l'on pense personnellement être nécessaire pour sauver l'humanité.

Nous devons **revoir les priorités dans notre vie**, de façon que nous devenions réellement de puissants agents de

---

*Si vous désirez participer à des groupes ou fondations travaillant activement à la distribution de ce livre partout dans le monde, ou désirez en créer un, vous pouvez vous adresser, pour toute information qui pourrait vous être utile, aux Éditions Universelles du Verseau, C.P. 1074, Knowlton, (Québec), J0E 1V0, Canada.

paix. Afin d'accomplir notre tâche en tant que Patriote de la Paix, nous choisirons les activités pour la paix avec lesquelles nous nous sentons le plus d'affinités. Et bien que la situation soit urgente, nous pouvons malgré tout conserver un équilibre raisonnable dans nos activités, de façon à ne négliger ni notre travail ni notre famille d'une manière qui nuirait au bon équilibre de notre vie. Si chacun d'entre nous remplit son engagement de poser un geste par jour pour la paix, le travail sera accompli. Comme la fable de La Fontaine nous le raconte, la course ne fut pas gagnée par le lièvre qui galopait de temps en temps, mais par la tortue qui fit son chemin lentement mais sûrement, sans s'arrêter...

Faites la paix, et non la guerre

Une conscience planétaire signifie que l'on pense en termes de système gouvernemental mondial plutôt qu'en termes de «défense» ou de systèmes militaires. Nous devons tous nous efforcer de créer une «conscience de paix» à un niveau global. Peut-être voudrez-vous organiser un groupe local pour la

> *Bénis soient les porteurs de paix : car ils seront appelés les enfants de Dieu.*
>
> Le Christ, dans le Sermon sur la Montagne

réforme de l'ONU, ou vous joindre à une organisation déjà existante qui travaille pour la paix. Vous pouvez contacter l'une des organisations citées dans l'appendice 1, et trouver comment vous pouvez soutenir ses activités.

On peut également jouer un rôle positif en aidant les habitants de cette planète à mieux se connaître. Voyager dans des pays étrangers comme un ambassadeur d'une conscience planétaire pour la paix et l'amitié peut être une façon intéressante de remplir notre engagement quotidien. A l'occasion d'échanges culturels et éducatifs, de relations d'affaires, d'échanges de connaissances scientifiques et de compétences professionnelles, on peut corriger les fausses images des autres peuples que les politiciens de tous les pays ont pu créer par le passé.

Chaque fois que nous remarquons des personnes d'origine étrangère qui visitent notre région, nous pouvons leur demander s'ils sont au courant du travail qui se fait actuellement pour créer la paix en permanence sur la terre. Presque tout le monde apprécie être approché avec une attention amicale lors d'une visite dans un pays étranger. Ces personnes peuvent aussi nous fournir des noms de leurs compatriotes à qui nous pourrons écrire pour accomplir notre geste quotidien pour la paix.

Actuellement, des échanges de plus en plus nombreux sont organisés. Par exemple, des réunions privées se tiennent régulièrement à Moscou entre juristes américains et soviétiques. Des médecins soviétiques et américains ont partagé un prix Nobel de la paix pour leur travaux conjoints sur les problèmes médicaux provoqués par les retombées radio-actives. Des astronautes américains et soviétiques sont allés ensemble dans l'espace. Des citoyens américains se sont joints, à titre individuel, à des scientifiques soviétiques pour organiser des tests destinés à mesurer la puissance des explosions nucléaires. Des Américains font des croisières sur la Volga, pendant que des Russes se promènent sur les bateaux du Mississippi. Des échanges de jeunes ont lieu régulièrement. L'Association pour la Psychologie Humaniste (Association for Humanistic Psychology) organise des échanges de lettres et de photos entre des gens des deux pays. De tels contacts amicaux et constructifs ne peuvent que mener à une plus grande connaissance et à une meilleure compréhension entre les habitants des deux pays.

Éduquer pour la paix

Comme geste quotidien pour la paix, on peut aller vérifier ce que font nos écoles élémentaires locales, les écoles secondaires et les collèges de notre région pour promouvoir la paix. Dans les classes de littérature on peut faire des lectures sur la guerre et la paix, les classes de philosophie peuvent discuter de l'éthique de la dissuasion nucléaire, et les classes de psychologie et de science sociale peuvent analyser les coûts humains et sociaux de la guerre*. Les classes d'histoire peuvent étudier ce qui a marché et ce qui n'a pas marché dans le passé pour préserver la paix entre les différents pays. Dans les classes de musique on peut apprendre à chanter non seulement des hymnes nationaux, mais aussi des hymnes célébrant toute l'humanité. Les problèmes de la guerre et de la paix touchent tous les domaines de la connaissance. L'auteur principal de ce livre vient juste d'établir un centre interdisciplinaire, le Peace Center, à la Pace University School of Law, où il est professeur de législature internationale pour la paix**.

> *Un changement dans l'opinion publique est toujours une première condition pour qu'il y ait un changement dans les institutions. Notre tragédie est que le pouvoir de la presse, de la radio et de la télévision est utilisé uniquement pour propager et alimenter des pactes, des traités d'alliances, des systèmes de dissuasion, de contraintes, de non-agression ou autres arrangements au sujet du désarmement qui, à l'heure actuelle, sont tout à fait inefficaces, inappropriés et dépassés. Il ne fait aucun doute que, s'il était possible de clarifier et de propager les principes fondamentaux pour une construction réelle de la paix à travers les médias de masse, de discuter de leur signification et de la façon de les mettre en pratique, une majorité écrasante de l'humanité soutiendrait cette politique ainsi que les mesures permettant l'intégration des États-Nations au sein d'un ordre légal mondial supérieur, et ceci avec un immense enthousiasme.*
>
> Emery Reves
> *Anatomie de la Paix*

---

* Il serait intéressant que les classes de psychologie se penchent sur les attitudes psychologiques de l'être humain qui mènent à des actions générant la guerre ou bien la paix (peur, haine, irresponsabilité, égoïsme, fanatisme et soif du pouvoir, ou bien intelligence, discernement, ouverture d'esprit, responsabilité, courage, capacité de communiquer et de résoudre les conflits sans perdant, esprit de coopération, etc.). Car la cause fondamentale de la guerre réside dans l'état d'esprit des êtres humains. En changeant d'état d'esprit, on change immédiatement les actions concrètes et leurs résultats. Et un état d'esprit, cela s'éduque, se cultive, et se forme. (N.D.T.)

** Pour obtenir une brochure décrivant ses activités, écrire à Pace Peace Center, Pace University School of Law, 78 North Broadway, White Plains, NY 10603.

Selon le World Policy Institute, durant l'année académique 1986-1987, un total de deux cent trente-cinq institutions d'études supérieures américaines ont offert des cours dans le domaine des études pour la paix; et quarante-six pour cent de tous les collèges et universités aux États-Unis ont donné au moins un cours dans ce domaine, contre seulement quinze pour cent en 1979. Il existe également au moins vingt-cinq programmes universitaires portant sur les études relatives aux conflits et à la paix*.

> *Pour réaliser la paix, enseignez la paix.*
>
> Jean-Paul II

En ce qui concerne les problèmes internationaux, on doit aider les étudiants de tous les niveaux à acquérir des connaissances pratiques et éthiques provenant de sources bien informées. Ils doivent comprendre leurs responsabilités en tant que citoyens d'un monde qui est en train de vivre des transitions fondamentales aux niveaux technologique, économique, politique et psychologique. *Ils doivent apprendre qu'il existe bien d'autres alternatives au système actuel de violence armée et de guerre meurtrière.* C'est en nos jeunes que réside le potentiel de création d'un avenir meilleur, et ce sont eux qui ont la possibilité de devenir les dirigeant(e)s pacifiques de demain.

Créer ce monde

Les enseignements moraux et éthiques de toutes les religions du monde doivent faire partie de **notre processus**

---

*En ce qui concerne les États-Unis, de nombreux et excellents enseignements sont donnés par les professeurs Bums H. Weston à l'université d'Iowa, Iowa City, IA 52242; Richard A. Falk et Johan Galtung, à l'université de Princeton, NJ 08540; Saul Mendlovitz à l'université Rutgers, New-Brunswick, NJ 08903; Kenneth et Elise Boulding, à l'université du Colorado, Boulder, CO 80302; Dietrich Fischer, à l'université New York, New York, NY 10003; Carolyn Stephenson, à l'université Hawaï à Manoa, Honolulu, HI 96822; Betty Reardon, Teachers College, Université Columbia, NY 10027; John Whitely, à l'Université California à Irvine, Irvine, CA 92664; et au World Policy Institute, 777, U.N. Plaza, New York, NY 10017. Tous ces érudits enseignent les avantages d'un système alternatif de sécurité permettant de se débarrasser de l'anarchie mondiale, et de résoudre les conflits autrement que par la guerre.

de rééducation pour la paix. («Tu ne tueras point.» «Aimez-vous les uns les autres.») Nos opinions personnelles à propos de Jésus, de Dieu, ou d'Allah ne doivent pas nous égarer au point de faire sauter la planète et de tuer tout le monde. Au contraire, au nom de ce qui est le plus sacré pour chacun de nous, pratiquons le pardon, ouvrons nos cœurs, et créons la paix sur la terre à l'aide de la bonne volonté envers tous.

Dans une lettre pastorale des évêques catholiques américains datée de 1983, tout comme dans une lettre similaire provenant des évêques méthodistes en 1986, nous trouvons un appel à une réforme de la structure internationale pour faire face aux besoins de l'âge nucléaire. Les papes de l'ère nucléaire, depuis Pie XII jusqu'à Jean-Paul II, ont affirmé que seule la recherche d'un

> *Résolus à assurer la paix mondiale et le désarmement au sein des nations, nous, participants à la conférence organisée par les United Methodists of the Rocky Mountain, pressons le Président et le Congrès des États-Unis, de concert avec toutes les autres nations qui le désirent, d'organiser une Convention constitutionnelle mondiale pour réformer l'Organisation des Nations Unies et la transformer en un gouvernement fédéral mondial représentatif.*
>
> United Methodist Church, 1983
> Rocky Mountain Conference

nouvel ordre international pouvait nous permettre d'éviter la dévastation des affaires humaines par la guerre.

On doit en finir avec la glorification du meurtre et de la violence. On ne peut plus apprendre à nos jeunes à tuer, à partir de vieux slogans. («Qu'il ait raison ou qu'il ait tort, mon pays, c'est mon pays.») Les enfants doivent apprendre qu'il est plus noble de vivre pour l'humanité que de mourir pour la gloire d'un chef particulier, d'une nation ou d'un système religieux quelconque. La visite des chefs d'États devrait être saluée, non pas par les traditionnels cent coups de canons, mais par des chansons et des fleurs.

Tous les moyens modernes de modeler l'opinion publique — les écoles, les institutions religieuses, la télévision, la radio, les journaux, les revues — doivent être utilisés et les organisations privées aussi bien que les individus doivent se mettre en action pour accélérer la marche de notre monde sur le chemin de la paix. Si nous sommes animés d'une forte détermination à réaliser une paix durable, nous pouvons exercer une grande influence, à travers l'ordre et la loi.

L'esprit créateur des hommes et des femmes, partout dans le monde, peut rapidement développer une passion réelle pour la paix. En moins d'une année, nous pouvons bâtir les fondements de nouvelles relations internationales afin que tous puissent vivre enfin dans la paix et dans la dignité. **Le génie de l'intellect humain allié à l'amour présent dans le cœur de chacun nous permettront de trouver les solutions les plus appropriées.** A cause de notre engagement envers nous-même, nous n'irons plus nous coucher le soir sans avoir posé notre geste quotidien pour la paix. Nous pouvons faire une différence.

Commerce et assistance

Aucun pays n'est intéressé à partir en guerre contre un important partenaire commercial duquel dépend son propre bien-être, ni à s'en faire un ennemi. Le Japon et la République fédérale d'Allemagne ont été les ennemis des États-Unis il n'y a pas si longtemps. Aujourd'hui, ces trois pays ont d'importants échanges commerciaux, et leurs relations dans différents domaines sont excellentes.

> *Je pense que le commerce sera l'un des principaux moyens favorisant la résolution des problèmes entre les États-Unis et l'Union soviétique.*
>
> Donald Kendall
> Président de Pepsico
> Co-Président de l'American-Soviet
> Trade and Economic Council

Le développement du commerce international peut créer des échanges et une coopération très bénéfiques aux relations humaines entre les peuples. L'industriel américain Armand Hammer, qui fournit du matériel médical à la Russie dès la fin de la révolution, entretient toujours des relations d'affaires avec ce pays, et est considéré là-bas comme un vieil ami.

L'assistance aux pays dans le besoin peut aider au développement international de la bonne volonté. Que ce soit de l'argent pour soulager la misère due à un désastre, ou une aide financière à un pays en voie de développement, *à la fois celui qui donne et celui qui reçoit peuvent, à cette occasion, développer le sens qu'ils font partie d'une seule et même famille,* contribuant ensemble à la concrétisation de valeurs humaines de compassion et de dignité. Arrêtons d'utiliser principalement l'assistance pour renforcer notre pouvoir de guerre et créer des alliances militaires. Que notre amour et notre compassion pour les êtres humains soient nos guides.

Parlons et agissons pour la paix

Ne sous-estimons jamais le pouvoir d'un individu bien déterminé! Le Mahatma Gandhi nous a donné un exemple magnifique et profondément inspirant lorsqu'il s'est élevé courageusement et finalement avec succès contre l'empire britannique. Les droits civiques et les droits de la femme ont été reconnus parce que des personnes ont eu le courage de parler fort. Aux États-Unis, des jeunes gens ont démontré qu'il était possible de changer le cours d'une guerre par une protestation pacifique contre la cruauté de la guerre du Viêt-Nam. «Hell, No! We Won't Go»! devint un cri de ralliement qui contribua à mettre fin à cette guerre.

> *L'Organisation des Nations Unies devra être réformée, ou bien elle s'effondrera dans une inefficacité totale et une guerre nucléaire suivra..*
> Carlos P. Romulo, 1984
> Homme d'État des Philippines

Chaque citoyen conscient et responsable a un rôle à jouer. La nature de ce rôle dépend des intérêts et des capacités de chacun. Certains seront capables d'exprimer leur opinion seulement en privé. D'autres vont écrire une lettre, signer une pétition, ou écrire un livre. On peut choisir de se joindre à une marche pour la paix ou l'organiser, prononcer un discours ou enseigner la paix dans une classe. On peut donner du temps à un groupe sérieux qui travaille pour la paix dans le monde. Certains ont engagé leur fortune ou une partie de leurs revenus pour la cause de la paix.

Le célèbre procureur de la Californie, Franklin Stark, et sa vibrante épouse Carlin, ont fait le tour de l'Amérique dans une camionnette pour prêcher la paix. Le capitaine Tom Hudgens circule à travers le pays pour distribuer son excellent livre, *Let's Abolish War : We Need L.A.W.*, (Abolissons la guerre, nous avons besoin de lois), qui plaide passionnément en faveur d'un gouvernement mondial.

De nombreuses célébrités font campagne pour la paix. Le célèbre pédiatre octogénaire Benjamin Spock a été arrêté alors qu'il escaladait la clôture d'une zone militaire interdite où étaient entreposés des missiles; Barbra Streisand chante pour la paix; l'acteur Paul Newman parle pour la paix; Yehudi Menuhin joue du violon pour la paix. Gregory Peck fut la vedette d'un film sur la paix intitulé *Amazing Grace and Chuck*. Daniel Ellsberg, ex-officiel du Pentagone, travaille aujourd'hui pour la paix.

> *Nos buts sont ceux des fondateurs de l'ONU, qui cherchaient à remplacer un monde en guerre par un monde où prévaudrait la force de la loi, où les droits de tout être humain seraient respectés, où le développement s'épanouirait et où les conflits seraient réglés sans violence.*
>
> Ronald Reagan
> Président des États-Unis
> Allocution présentée à l'Assemblée générale de l'ONU
> 26 septembre 1983

Certains courent pour la paix; d'autres marchent pour la paix. Larry Agran, maire de la ville d'Irvine en Californie, dirige une coalition d'un millier de fonctionnaires locaux en vue d'exiger que les fonds publics soient alloués aux villes plutôt que d'être gaspillés en armement. Il dirige, avec Michael Shuman, le Center for Innovative Diplomacy (17931, Sky Park Circle, Irvine, CA 92714). Ils publient le *Bulletin of Municipal Foreign Policy* qui analyse l'impact des décisions de politique étrangère sur les communautés locales.

Un réseau pour la paix

A travers le monde entier, des milliers d'organisations, d'institutions et de groupes privés de taille et de force diverses travaillent pour que la paix devienne une réalité concrète sur cette planète. *Ils émergent comme des anticorps créés par la nature pour guérir un organisme malade. Mais ils doivent être aidés et soutenus, si on veut que le patient survive*.*

Le Consortium on Peace Research, Education and Development (COPRED) de l'université George Mason à Fairfax, VA 22030, est un centre de liaison et d'information pour des centaines de membres à travers l'Amérique. L'organisation Global Education Associates (475, Riverside Drive, New York, NY 10115), dirigée par Pat et Gerald Mische, auteurs de l'excellent livre *Toward a Human World Order,* contribue à répandre de l'information sur une grande échelle, en même temps que beaucoup d'espoir. De nombreux groupes de femmes et groupes religieux poursuivent activement le même but de paix.

Un nombre de plus en plus grand d'institutions en Europe, en Inde et en Asie sont dédiées à un travail de recherche et de promotion pour la paix.

Des fondations et des individus soutiennent des activités pour la paix partout dans le monde. Une

> Le monde n'a plus le choix entre la force et la loi. Si cette civilisation veut survivre, elle doit choisir la réglementation par la loi.
>
> Dwight D. Eisenhower
> Président des États-Unis

Université des Nations Unies a commencé à fonctionner à Tokyo en 1975. Une Université pour la Paix a été établie au Costa Rica en 1983. Son chancelier, bénévole, est notre ami Robert Muller, dont certaines citations inspirantes figurent dans ce livre. Un Institut pour la Paix (Peace Institute) créé en l'honneur du Président Harry Truman existe à l'Université Hébraïque de Jérusalem.

---

* Voir le *Peace Catalogue — A Guidebook to a Positive Future.* Seattle, Press for Peace, 1984.

En 1985, le Congrès américain créa l'Institut américain pour la Paix (United States Institute for Peace), et commença à octroyer des fonds publics pour la recherche sur la paix et la résolution des conflits. Le gouvernement canadien parraine actuellement un Institut pour la Paix et la Sécurité très prometteur. La technologie informatique commence à mettre en relation les différents membres de ce réseau.

Si nous voulons gagner le Prix de la Paix, tous ces brins isolés qui flottent actuellement sur une bien vaste mer doivent être renforcés, regroupés, et tissés ensemble pour constituer un réseau efficace.

Notre engagement concernant notre geste quotidien pour la paix peut faire une réelle différence pour la survie ou la destruction de notre planète. Notre façon de penser et notre geste quotidien pour la paix seront remarqués par les personnes autour de nous, et les inspireront. Tout comme la haine se transmet de personne à personne tel un virus, les sentiments de fraternité planétaire, de compréhension, de respect mutuel, de coopération venant du cœur, de notre humanité et de notre amour peuvent être aussi extrêmement contagieux. Au cours de chacune de nos activités, notre énergie positive en faveur de la paix peut inspirer les autres, et par là même, être multipliée par mille alors que nous accomplissons notre engagement quotidien face à nous-même et face au monde.

> *L'histoire récente suggère que les autorités militaires, quelle que soit leur idéologie, avanceront de façon constructive vers une sécurité globale seulement si un public énergique, partout dans le monde, insiste pour qu'ensemble nous subordonnions la poursuite de la richesse et du pouvoir national aux besoins fondamentalement humains de survie et de dignité.*
>
> Robert C. Johansen, 1984
> World Policy Institute

Penser globalement, agir localement. Le sort de la paix est entre nos mains! Et nous avons le pouvoir et les moyens de sauver le monde!

8ᵉ étape

S'offrir
un prix
de la Paix

8ᵉ étape

S'offrir un prix de la Paix

CELA PRENDRA certainement du temps et de la patience pour franchir avec succès les huit étapes que nous avons exposées en vue d'éviter notre destruction par une guerre nucléaire. Mais y a-t-il un autre moyen? Au fur et à mesure que chacun de nous réalise que son énergie et son pouvoir personnel peuvent être mis en action pour apporter la paix en permanence par le moyen d'une législation mondiale, nous réalisons de plus en plus clairement à quel point nos vies et nos actions sont essentielles pour résoudre la plus dangereuse crise à laquelle l'humanité ait jamais été confrontée. Nous commençons à comprendre :

**Que la paix règne sur la terre,
cela dépend de chacun de nous!**

Il est en notre pouvoir de sauver le monde, pour nous, pour notre famille, pour nos amis, et pour tous ceux qui viendront après nous. Nous mériterons un Prix de la Paix si nous apportons toute notre aide à la transformation de la dangereuse anarchie actuelle en un système sécuritaire de gouvernement international.

Les buts du gouvernement

Nous avons vu que l'humanité n'est pas uniquement prise dans le cycle vicieux de la guerre; elle est aussi en train de *rassembler ses efforts* pour la réalisation d'une structure gouvernementale mondiale. Nous pouvons être encouragés par les grands progrès qui ont déjà été réalisés en vue d'une réelle coopération mondiale.

Que demandons-nous à nos gouvernements (que ce soit celui de notre ville, de notre comté, de notre État, de notre pays ou de notre planète)?

Nous demandons à être protégés de toute agression, que nos droits et libertés soient respectés, et qu'il soit possible de vivre dans un minimum de confort et de dignité. Un

> Les fédéralistes mondiaux nous présentent la vision d'une humanité unifiée vivant en paix dans un monde ordonné avec justice...
> Le cœur de leur programme — un monde organisé par la loi — est réaliste et à notre portée.
>
> U Thant
> Ex-Secrétaire général de l'ONU

gouvernement ne devra jamais être trop faible ni trop fort. Il doit être constitué de façon à être juste et impartial afin que les minorités aussi bien que les majorités réalisent qu'il est plus intéressant de s'en remettre à des règlements et à des tribunaux que d'utiliser la violence, même si elles n'obtiennent pas toujours tout ce qu'elles veulent quand elles le veulent.

En 1787, les Pères Fondateurs des États-Unis inventèrent une forme de gouvernement fédéral en mesure de *combiner* le pouvoir des gouvernements locaux et un pouvoir gouvernemental global. Étant donné que le gouvernement fédéral américain est capable de faire respecter les lois par une action directe sur les citoyens, *les différents États n'ont pas besoin de se faire la guerre pour faire respecter une ligne de conduite qui a été préalablement déclarée bénéfique pour tous.* Le gouvernement fédéral peut simplement sanctionner les malfaiteurs qui violent individuellement la loi fédérale. Cette politique ingénieuse a été mise en pratique aux États-Unis pendant deux cents ans, et par ce moyen, cinquante États, depuis la Floride jusqu'à l'Alaska et Hawaï, ont été gouvernés dans le calme et la paix.

Le gouvernement fédéral américain *s'entend* avec les villes, les comtés et les gouvernements de chaque État afin de pouvoir protéger les droits qu'ont les citoyens de jouir du maximum de liberté compatible avec la liberté des autres. On peut, de la même façon, constituer un gouvernement international qui sera également protecteur de notre liberté *en tant qu'individus et en tant que nations.*

Un gouvernement mondial et une Cour internationale de Justice peuvent également protéger le droit que détient chaque pays de décider des affaires concernant ses propres citoyens à l'intérieur de ses propres frontières. A travers une réelle coopération planétaire, chacun des cent cinquante-neuf pays du monde peut jouir de la sécurité que procure le fait d'être membre d'une communauté internationale plus large ayant ses lois, ses tribunaux et son système pour faire respecter les lois. Cela nous assurera certainement *beaucoup plus de sécurité que ce que l'on peut avoir actuellement,* générera beaucoup plus d'abondance pour tous et sera certainement très bénéfique dans bien d'autres domaines.

Nous sommes assez intelligents pour créer un système international amélioré, doté de moyens pour contrôler, équilibrer et diviser le pouvoir, qui soit en mesure de protéger les différentes nations du risque de la prise de pouvoir par un dictateur beaucoup mieux que ne le fait le système actuel. Nous pouvons construire notre avenir en prenant les leçons aussi bien de nos erreurs que de nos succès passés. Tout comme le jour succède à la nuit, nous avons le pouvoir de sortir de l'obscurité actuelle pour nous retrouver dans la lumière du soleil de la paix et de la liberté.

Vers un gouvernement mondial

Le monde veut changer parce que le système actuel ne marche pas. Les souverainetés toutes-puissantes se voient progressivement restreintes par la nécessité de régler des problèmes communs sur une base globale. Nous devenons conscients de la totalité sacrée de notre monde.

Des règlements obligatoires gouvernent déjà une grande partie des problèmes de l'environnement et de l'espace. Des tribunaux internationaux récemment mis sur pied règlent une foule de problèmes par des moyens pacifiques. Les procédés de médiation et de conciliation sont améliorés. A l'intérieur comme à l'extérieur des Nations Unies, le besoin d'une réforme de l'ONU a été reconnu et, tranquillement, certaines actions sont posées dans ce sens.

> *Il n'y a pas d'autre salut pour notre civilisation, ou même pour la race humaine, que la création d'un gouvernement mondial.*
>
> Albert Einstein

C'est à nous d'augmenter le soutien pour la réforme de l'ONU, de façon que cette organisation fasse disparaître à jamais le «besoin» de dépenses exagérées pour la «défense» qui nous coûtent actuellement un million et demi de dollars par minute. *Si nous ne détruisons pas les armes, ce sont elles qui vont nous détruire.*

Dans un article intitulé «Réalités et garanties pour un monde sécuritaire» publié dans la *Pravda* du 17 septembre 1987, Mikhaïl Gorbatchev écrivait :

Je ne m'aventurerai pas à prédire de quelle façon le système garantissant la sécurité générale apparaîtra dans sa forme finale. Il est simplement bien clair pour l'instant que ce système ne pourra réellement fonctionner que si tous les moyens de destruction de masse sont détruits. Nous proposons qu'une commission indépendante formée d'experts et de spécialistes travaille sur la question, et soumette ses conclusions à l'Organisation des Nations Unies...

Nous sommes arrivés à la conclusion qu'il serait nécessaire d'utiliser plus largement les services des observateurs militaires des Nations Unies et les forces de paix de l'ONU pour dégager les troupes des pays actuellement en guerre et faire respecter le cessez-le-feu ainsi que les ententes d'armistice.

Nous sommes sur le point de découvrir de réelles solutions. L'Union soviétique, les États-Unis et d'autres pays commencent à réaliser qu'il faut agir, et vite. Nous devons remplacer la peur par une action génératrice de confiance. Comme le disait l'ex-Président des États-Unis Franklin D. Roosevelt en d'autres circonstances : «Nous n'avons pas besoin d'avoir peur de quoi que ce soit, si ce n'est de la peur elle-même.»

Bien que les progrès en cours semblent parfois bien vacillants, le mouvement vers un monde intégré, coordonné et plus humain semble de plus en plus évident pour un œil entraîné. Car nous devons nous souvenir que *chacun des pas* qui a été fait dans le sens de la formation d'une législature mondiale durant notre siècle *l'était pour la toute première fois depuis le début de notre civilisation.*

> *Un gouvernement mondial, ce n'est pas seulement possible, c'est inévitable; et quand il sera formé, il fera appel au sentiment de patriotisme porté à son meilleur, dans son seul vrai sens, le patriotisme de personnes qui aiment leur héritage national tellement profondément qu'elles désireront le préserver pour le bien de tous.*
>
> Peter Ustinov
> Acteur célèbre

Exagérer l'importance de la faiblesse de l'ONU et de la Cour mondiale d'aujourd'hui encourage un cynisme et un scepticisme tout à fait inappropriés. Cela sabote la confiance nécessaire au public pour soutenir les améliorations requises. Nous devons être fiers de nos réalisations, et ne jamais perdre confiance même si nous essuyons quelques échecs temporaires. Il y a beaucoup à faire. *Se laisser aller dans l'inconscience, la passivité, laisser le travail aux autres, ne pas prendre la responsabilité de notre planète, tout cela peut ruiner notre victoire.*

Faire échec à la course aux armements

Nous ne pouvons pas arrêter la course aux armements si nous continuons de produire des armes. Puisque notre capacité de détruire l'humanité dépasse largement le nombre de personnes pouvant être tuées, il est ridicule de continuer à développer cette capacité superflue de destruction. L'histoire du monde montre que lorsque les politiciens et les militaires dépensent de grosses sommes d'argent en armement, ils réussissent, tôt ou tard, à trouver une excuse pour utiliser leurs engins de guerre à titre de «défense». Nous devons aller au-delà de l'ancien système de pensée qui soutient que la seule façon de maintenir la paix, c'est de diriger un gros fusil vers la tête du voisin!

> *Les détails ne sont pas vraiment cruciaux; le point important est de trouver un plan pour la paix qui soit à la fois efficace et acceptable dans son ensemble. Si un effort suffisant est fait, la sagesse naturellement efficace de l'espèce humaine permettra de trouver la combinaison juste.*
>
> Professeur Louis Sohn,1982
> Co-auteur de *World Peace Through World Law*

Si les armes nucléaires sont inutilisables parce qu'elles détruiraient toute la planète, il est sensé de se demander : «A quoi servent donc ces armes inutilisables?» La théorie de la dissuasion est basée sur la croyance que même si les pays restent vulnérables, ils sont malgré tout en sécurité parce qu'aucun des deux côtés ne peut se permettre d'attaquer le premier, sinon c'est la «destruction mutuelle assurée». Mais d'innombrables guerres ont démontré à quel point les militaires peuvent devenir présomptueux (l'attaque de Pearl Harbor fut un exemple de cet état d'esprit). Nous ne pouvons pas permettre que notre sécurité dépende d'une politique suicidaire et destructrice de l'environnement. Ceux qui soutiennent l'argument que les armements sont essentiels pour exercer le pouvoir de dissuasion citent souvent la maxime latine : «Si vous voulez la paix, préparez la guerre.» Mais la Rome antique ne prévoyait pas l'âge nucléaire. L'histoire montre que ceux qui se sont préparés pour la guerre ont, habituellement, généré ce pour quoi ils s'étaient préparés.

SI VOUS VOULEZ LA PAIX, PRÉPAREZ LA PAIX!

Exercer notre force politique

Le plus important : Utilisons notre pouvoir politique! Dans une société démocratique, ce que toute personne doit faire c'est : VOTER, VOTER, VOTER! Ce grand privilège de la démocratie est trop souvent négligé. Des manifestations persistantes de mécontentement, d'inquiétude ou de souci de la part des électeurs ont un poids énorme dans les couloirs des institutions gouvernementales. Les candidats doivent être nommés et **élus sur la base de leur politique de coopération planétaire.** Les idéologues à la vision étroite, qui croient qu'un monde meilleur peut être construit par une manifestation arrogante de pouvoir militaire, doivent être mis dehors. Les jeunes qui aujourd'hui ne sont pas motivés à voter doivent savoir qu'ils *peuvent* faire une différence et qu'**ils peuvent créer leur avenir.**

> *Nous vivons sur une planète qui est malade et même en phase terminale....* *Les États-Unis ont perdu leur direction et leur âme. Utilisez votre démocratie pour sauver votre monde.*
>
> Le Dʳ Helen Caldicott, 1986
> Ex-présidente, Physicians for Social Responsibility

Beaucoup de dirigeants politiques croient que le refus de faire des concessions est la démonstration d'un caractère fort, et que cela leur apportera la sympathie de leurs électeurs et impressionnera leurs adversaires. Ils confondent l'entêtement avec la force, et sont incapables de percevoir les nouvelles réalités de l'âge nucléaire. Au lieu de diriger les gens qu'ils pensent protéger, ils les trompent. Si les personnes qui ont de hautes responsabilités sont incapables, ou refusent, de démontrer la souplesse requise pour protéger l'avenir de l'humanité, alors tous les efforts pacifiques possibles doivent être entrepris pour les remplacer.

Aux États-Unis, beaucoup d'organisations pacifiques gardent en note les votes de tous les membres du Congrès (voir Appendice 1). Leurs rapports révèlent quels sont les membres qui votent pour des milliards de dollars de taxes destinés à augmenter la puissance militaire plutôt que pour des mesures qui soutiennent des objectifs pacifiques. En tant que citoyens bien informés, nous devons nous opposer à tous ceux qui ralentissent notre progrès vers un avenir plus paisible. Toute action qui pousse l'humanité vers le but désiré doit être soutenue et encouragée. Aucun dirigeant politique ne peut ignorer une demande pressante émanant de la population.

PlanetHood, ou les Citoyens du Monde

On ne peut pas accepter qu'une poignée de politiciens, de dirigeants militaires et d'industriels à la vision étroite puissent déterminer le sort de l'humanité. La terre a peut-être commencé à exister avec un «big bang», mais personne n'a donné le droit à quelques mortels de décider qu'elle devrait disparaître de la même façon.

Tous les éléments essentiels pour que le monde puisse vivre en paix sont reliés et interdépendants. Les progrès réalisés relativement à un élément stimulent la réalisation d'autres éléments; mais, de la même façon, le ralentissement dans un domaine freine le progrès qui pourrait se faire ailleurs. Comme les doigts de la main, toutes les parties doivent fonctionner ensemble d'une manière ferme et coordonnée.

> *Décidons-nous à réunir héroïquement toutes nos énergies afin de construire un monde nouveau qui intégrera la sagesse du cœur à la sagesse de l'esprit.*
>
> Ken et Penny Keyes
> *Gathering Power Through Insight and Love*

De la même façon qu'un citoyen ne se débarrasserait pas de ses armes s'il savait qu'il a un voisin armé et belliqueux et qu'aucune loi, aucun tribunal, aucune police n'est là pour le protéger, aucun pays n'acceptera de détruire ses armements tant qu'il n'existera pas de moyens réels et efficaces pour maintenir la sécurité, la liberté, la justice et la paix au niveau mondial. Si nous voulons arrêter d'accumuler de trop coûteux engins de mort sur cette planète, nous devons installer un système mondial où la loi internationale, les tribunaux et les systèmes de mise à exécution de la loi internationale soient vraiment une réalité. *Il est bien trop dangereux de rester pris dans l'étreinte mortelle de cet équilibre nucléaire de la terreur.*

Utilisons toute l'influence que nous pouvons avoir et toutes les forces que nous pouvons rassembler pour faire en sorte que les problèmes internationaux actuels soient traités en vue de la réalisation de la paix mondiale à partir d'une législation internationale. En posant nos gestes personnels pour la coopération planétaire, nous pouvons aider à mettre en place les différentes pièces nécessaires pour que la maison de la paix repose sur des fondations plus solides qu'elles ne le sont actuellement.

S'adressant aux Nations Unies en 1984, le Président Reagan déclarait :

«Pour le salut du monde, pour un monde de paix où la dignité humaine et la liberté sont respectées et renforcées, osons entrer en relation avec dix fois plus de confiance et mille fois plus d'amitié. Un nouvel avenir nous attend. Le temps est venu, le moment, c'est maintenant».

Le 10 avril 1987, Mikhaïl Gorbatchev affirmait publiquement sa volonté d'un désarmement nucléaire «sous contrôle strict» et vérification. Il fit appel à une nouvelle révolution sociale par «le développement de toutes les formes, directes ou indirectes, de démocraties représentatives... « Son livre *Perestroika : Vues Neuves sur Notre Pays et le Monde* (Flammarion, 1987. Existe aussi en livre de poche dans la collection «J'ai lu») se termine sur ces mots :

«Nous voulons que les gens de tous les pays jouissent de la prospérité, du bien-être et du bonheur. La route qui y mène passe par l'instauration d'un monde dénucléarisé, non violent. Nous sommes embarqués sur cette route, et invitons tous les autres pays et nations à nous y rejoindre.»

Aujourd'hui nous avons la plus belle occasion possible pour que nos actions fassent une réelle différence pour notre survie, celle de notre famille et celle de toute l'espèce humaine. C'est le moment de nous tenir droit et fier, de participer à la réalisation du *but le plus noble* qui ait jamais motivé un être humain dans toute l'histoire du monde. Nous pouvons, de nouveau, dédier notre vie à la cause de notre liberté et de notre avenir, afin que tous nous soyons libérés de la menace de la guerre et que notre devenir soit celui d'une humanité saine et heureuse.

Alors je plongeai loin dans le futur,
aussi loin que l'œil humain peut voir.
J'eus une Vision du monde,
et de toutes les merveilles qui se réaliseraient.

....

Une fois que les tambours de la guerre ne résonneront plus,
et que les drapeaux des batailles seront repliés.
Au sein du Parlement de l'Humanité,
Sera créée la Fédération du monde.

Alfred Lord Tennyson
Locksley Hall, 1842

Nous n'avons certainement jamais été mis au défi si fortement. Il ne nous a jamais été donné une si belle occasion d'utiliser tout ce qu'il y a de plus beau et de plus noble en nous. Jamais nous n'avons eu une telle chance de pouvoir assurer globalement l'avenir de l'humanité à long terme, et pour si longtemps. Jamais les enjeux n'ont été si élevés dans le jeu de la vie. Jamais nos efforts et notre participation n'ont été aussi nécessaires que maintenant dans toute l'histoire du monde. Jamais le sort du monde n'a autant reposé sur nous.

NOUS avons le pouvoir. *Nous voulons bien dire NOUS. Oui! NOUS!* Après toutes les promesses qui nous ont été faites, toutes les belles paroles des politiciens, toutes les déclarations universellement acceptées, et avec ce que le XXIᵉ siècle nous promet, il est temps pour nous d'affirmer notre droit fondamental en tant qu'être humain de vivre dans un monde de paix, sans danger de mort provoquée par une guerre nucléaire. **Que la voix de chacun de nous en faveur de l'unification de la grande famille humaine et de notre citoyenneté planétaire, *planethood,* soit entendue claire et forte, partout dans le monde! Nous deviendrons alors des Patriotes de la Paix, participant à la création d'une nouvelle ère d'harmonie sur la terre. Et à travers nos actions en faveur de cette noble cause, nous pourrons être fiers et fières de nous parce que nous aurons donné le meilleur de nous-mêmes pour l'humanité.**

Alors nous pourrons jouir ensemble de la plus grande récompense :

La Paix sur la Terre!
La bonne volonté envers tous!

Les huit étapes vers la réalisation de
NOTRE CITOYENNETÉ PLANÉTAIRE
«PLANETHOOD»

1. Exiger le respect de notre droit fondamental en tant qu'être humain.

2. Comprendre ce qui doit être fait.

3. Devenir un Patriote de la Paix.

4. Reconnaître nos grands progrès.

5. Rendre les Nations Unies efficaces pour l'âge nucléaire.

6. En parler à nos amis et à nos voisins.

7. Chaque jour, poser un geste pour la paix.

8. S'offrir un Prix de la Paix!

Commencer aujourd'hui!

Remerciements

Nous désirons reconnaître les contributions des nombreuses personnes dont le nom ne figure pas dans ce livre. Nous n'avons pas cru approprié, dans un livre écrit pour un vaste auditoire, de fournir l'origine de chaque phrase ou idée comme on le fait dans les publications savantes. Nos remerciements sincères et notre appréciation vont à tous ceux et celles qui ont contribué au courant d'idées qui nous aide à comprendre ce que chacun d'entre nous doit faire pour laisser à nos enfants un avenir sain sur cette planète.

Le professeur Robert H. Monley de Seton Hall University, M. Robert Muller, depuis 38 ans au service des Nations Unies et le contre-amiral Gene R. LaRoque, retraité de la marine américaine et directeur du Center for Defense Information, ont gracieusement consenti à relire le manuscrit pour en vérifier l'exactitude. Nous avons particulièrement apprécié les suggestions de M. Walter Hoffman, directeur général de la World Federalist Association.

M. Eric Cox de la Campagne pour la réforme des Nations Unies mérite notre reconnaissance pour avoir inspiré la préparation de ce livre. Mme Gertrude Ferencz fut une source continuelle de réconfort, d'encouragement et d'inspiration. M. Martin Segal, de Floride, et Donald Ferencz nous ont également apporté de nombreuses suggestions fort appropriées.

Jour et nuit, Mme Penny Keyes a travaillé à la préparation et la relecture de ce livre. Mme Ann Hauser a généreusement offert ses talents artistiques et en a effectué de main de maître la composition. Les dessins circulaires qui figurent à chaque chapitre sont une gracieuseté de Mme Lynne Tuft.

M. Patrice Ziegenfuss et Mme Carolyn Talbott de Love Line Books ont aidé à la préparation de ce livre pour la publication. Le titre *PlanetHood* fut suggéré par M. Rik Burkhart.

Nous remercions tout particulièrement le *Reader's Digest* et Mme Emery Reves pour la permission de reproduire une partie de *Anatomie de la Paix,* par Emery Reves. Notre reconnaissance va aux auteurs et maisons d'éditions suivants pour les courtes citations apparaissant dans ce livre : à Harper and Row pour *Union Now* par Clarence Streit et *The World Must Be Governed* par Vernon Nash; à la revue *Look* pour l'extrait de l'article «Why Waste Time Discussing Disarmament?» par Emery Reves; à Richard Hudson du Centre for War/Peace Studies pour le matériel sur la «Triade Obligatoire»; à la Campagne pour la réforme des Nations Unies pour «A 14-Point Program for Reforming the United Nations»; à M. Tom Hudgens pour la permission de citer *Let's Abolish War*; à l'American Movement for World Government pour «Essentials of a World Federal Government»; à Little, Brown and Company pour les extraits de *Miracle at California* par Catherine Drinker Bowen et pour les extraits de *Peace and Anarchy* par Cord Meyer; et à Viking Penguin pour les citations de Carl Van Doren tirées de *The Great Rehearsal : The Story of Making and Ratifying the Constitution of the United States.* A eux et à tous les autres nous offrons nos plus sincères remerciements.

BENJAMIN B. FERENCZ
New Rochelle, New York

KEN KEYES, JR.
Coos Bay, Oregon

Appendice 1

Augmentez la qualité de votre impact personnel

Afin de sauver l'humanité et vous-même, il est important que vous sachiez de quoi vous parlez : prendre simplement position pour la paix et contre la guerre n'est pas suffisant. Afin de vous assurer une meilleure qualité de vie au XXIᵉ siècle, vous pouvez choisir d'investir dans les livres mentionnés ci-dessous et d'en assimiler le contenu comme si votre vie en dépendait — car c'est justement le cas. Vous pouvez également augmenter votre influence personnelle en écrivant aux organismes figurant dans cet appendice pour recevoir de la documentation.

Pour une plus grande compréhension

Dans les bibliothèques, vous trouverez de nombreux ouvrages relatifs aux Nations Unies et au bicentenaire politique des États-Unis. Voici quelques livres pouvant vous apporter des informations particulièrement intéressantes sur ces sujets :

A COMMON SENSE GUIDE TO WORLD PEACE, par Benjamin Ferencz. New York, Publications Oceana, 1985. Version reliée : 15$; livre de poche : 5$. Ce livre de moins de 100 pages comprend trois parties : ce qui *a été* fait; ce qui *devrait être* fait; ce qui *peut être* fait. Une vraie mine d'information.

THE GREAT REHEARSAL : THE STORY OF MAKING AND RATIFYING THE CONSTITUTION OF THE UNITED STATES, par Carl Van Doren. New York, Viking Penguin Inc., 1987. L'édition de poche de Penguin coûte 6,95$. Ce livre captivant vous fait partager la sagesse politique, les attitudes de compromis et le doigté avec lesquels les fondateurs des États-Unis ont mis sur pied la constitution américaine. Il vous met au courant de ce que vous devez faire pour soutenir la révision et la réforme de la Charte des Nations Unies. C'est pourquoi il s'intitule *The Great Rehearsal* (La Répétition générale).

WORLD FEDERALIST BICENTENNIAL READER compilé par Barbara M. Walker. Washington, D.C., World Federalist Association, 1987. 5$. Ce livre est une petite mine d'or pour les étudiants et professeurs sérieux désirant approfondir leur compréhension des ingrédients nécessaires à la création d'une constitution prospère. On peut le commander directement de la WFA, 418 Seventh Street S.E., Washington, D.C., 20003.

Pour une étude approfondie

Voici une liste de livres écrits par Benjamin B. Ferencz décrivant en détail ce que nous devons faire pour établir un nouveau système international qui assurerait la paix mondiale :

ENFORCING INTERNATIONAL LAW — A WAY TO WORLD PEACE : A DOCUMENTARY HISTORY AND ANALYSIS, par Benjamin B. Ferencz. 2 volumes. New York, Oceana Publications Inc., 1983.

DEFINING NATIONAL AGGRESSION : THE SEARCH FOR WORLD PEACE : A DOCUMENTARY HISTORY AND ANALYSIS, par Benjamin B. Ferencz. 2 volumes. New York, Oceana Publications Inc., 1975.

AN INTERNATIONAL CRIMINAL COURT — A STEP TOWARD WORLD PEACE : A DOCUMENTARY HISTORY AND ANALYSIS, par Benjamin B. Ferencz. 2 volumes. New York, Oceana Publications Inc., 1980.

Travailler avec les organisations

En plus de lire les livres mentionnés ci-haut, en tant que Patriote des temps modernes pour la Paix, vous pouvez désirer devenir membre d'une ou de toutes les organisations suivantes qui travaillent à remplacer la loi de la force par la force de la loi. Nous vous encourageons, quoique cela ne soit pas obligatoire, à leur envoyer 2$ pour couvrir les frais de poste et d'impression du matériel qu'elles vous enverront. Des bénévoles et des contributions monétaires leur sont nécessaires de toute urgence pour effectuer à temps leur noble tâche pour sauver l'humanité :

WORLD FEDERALIST OF CANADA
145, rue Spruce, bureau 207
Ottawa, Ontario, K1R 6P1
Téléphone : (613) 232-0647

MOUVEMENT CANADIEN POUR UNE
FÉDÉRATION MONDIALE
3460, rue Peel, bureau 315
Montréal, Québec, H3A 2M1
Téléphone : (514) 844-7268

CITOYENS DU MONDE
15, rue Victor Druy
Paris 75015
Téléphone : 45.31.29.99

WORLD FEDERALIST ASSOCIATION
418, Seventh Street, S.E.
Washington, D.C. 20003
Téléphone : (202) 546-3950

CAMPAING FOR U.N. REFORM
418, Seventh Street, S.E.
Washington, D.C. 20003
Téléphone : (202) 546-3956

CENTRE FOR WAR/PEACE STUDIES
2118 East, 18th Street
New York, NY 10003
Téléphone : (212) 475-10017

PARLIAMENTARIANS GLOBAL ACTION
211 East 43rd Street, suite 1604
New York, NY 10017
Téléphone : (212) 687-7755

AMERICAN MOVEMENT FOR WORLD
GOVERNMENT
World Government Centre
One World Trade Centre, suite 7967
New York, NY 10048
Téléphone : (212) 524-7706

WORLD ASSOCIATION
FOR WORLD FEDERATION
Leliegracht 21, 1016 GR
Amsterdam, Pays-Bas
Téléphone : (020) 227502
ou
Bureau des Nations Unies
777, United Nations Plaza
New York, NY 10017
Téléphone : (212) 599-1320

WORLD CITIZENS ASSEMBLY
2820, avenue Van Ness
San Francisco, CA 94109
Téléphone : (415) 474-9773

WORLD CONSTITUTION AND
PARLIAMENT ASSOCIATION
1480, Hoyt Street, suite 31
Lakewood, CO 80215
Téléphone : (303) 233-3548

UNITED NATIONS ASSOCIATION —
U.S.A.
485, Fifth Avenue
New York, NY 10017 — 6104
Téléphone : (212) 697-3232

PROFESSIONALS' COALITION FOR
NUCLEAR ARMS CONTROL
1616, P Street, N.W.
Washington, D.C. 20036
Téléphone : (202) 332-4823

EDUCATORS FOR SOCIAL RESPONSIBILITY
23, Garden Street
Cambridge, MA 02138
Téléphone : (617) 492-1764

GLOBAL EDUCATION ASSOCIATES
475, Riverside Drive
New York, NY 10115
Téléphone : (212) 870-3290

Appendice 2

Les réalisations de l'ONU

L'ONU a été créée dans le but de prévenir la guerre en offrant aux gouvernements un lieu de relations régulières, de coopération et d'action collective. Au cours des quarante dernières années, s'il est vrai que des conflits internationaux se sont produits, les gouvernements ont pu cependant convenir d'une position commune sur un nombre surprenant d'autres questions. Ce faisant, ils ont consolidé les fondements d'un monde pacifique. L'ONU est devenue la principale source du droit international dont la codification et la définition ont plus avancé en quarante ans que jamais auparavant. En matière de droits de l'homme, l'Organisation a fait œuvre de pionnier. La protection des droits de l'homme est reconnue désormais comme préoccupation légitime de la communauté internationale : un large éventail de droits fondamentaux fait l'objet de normes mondiales et d'accords obligatoires destinés à les faire respecter. L'ONU a facilité l'accession à la liberté de millions d'hommes des anciens territoires coloniaux et suscité attention et appui internationaux pour des sociétés anciennes en voie de transformation grâce à la science et à la technique modernes. Elle a été à la pointe d'un effort mondial de coopération face à des pro-

blèmes urgents (croissance démographique, risques écologiques) dont les conséquences ignorent les frontières nationales. Pour des millions de victimes sans protection devant
les changements tumultueux, enfants pauvres, réfugiés politiques, victimes de catastrophes, l'Organisation a été porteu-
se de soulagement. Sans être un bilan exhaustif des activités
de l'Organisation, la chronologie qui suit permettra d'en
comprendre l'ampleur.

1945

Le 26 juin, la Charte des Nations Unies est signée à
San Francisco. La Deuxième Guerre mondiale est terminée
en Europe mais continue en Asie; sa fin coïncide avec
l'effroyable aube de l'âge nucléaire. □ L'ONU se trouve au
centre d'un système d'institutions spécialisées, créées
récemment pour certaines, des dizaines d'années auparavant
pour d'autres (voir page suivante).

1946

En janvier, l'*Assemblée générale* se réunit pour la
première fois à Londres et élit les membres du *Conseil de
Sécurité*, du *Conseil économique et social* et de la *Cour
internationale de Justice.* □ La première résolution adoptée
par l'Assemblée porte sur le désarmement et sur l'utilisation
pacifique de l'énergie nucléaire. Au cours des quarante
années suivantes, alors que la course aux armements s'accé-
lère, l'Organisation continuera de donner à la question une
priorité élevée. □ Autres grands problèmes examinés par
l'Assemblée à sa première session : la décolonisation, la discrimination raciale en Afrique du Sud et la montée de la violence entre Arabes et Juifs en Palestine. En octobre,
l'Assemblée se réunit à New York, choisi comme siège de
l'Organisation. □ Création du *Fonds des Nations Unies pour
l'enfance.* □ Institution du *Conseil de Tutelle.*

1947

L'Assemblée adopte un plan selon lequel à l'expiration
du mandat britannique en Palestine en 1948, ce territoire
serait divisé en un État arabe et un État juif, Jérusalem
passant sous l'administration de l'ONU. L'engagement de

l'Organisation dans la région ne se démentira pas, au cours des quarante années suivantes, dans la recherche d'une paix équitable pour toutes les parties en cause.

1948

La Déclaration universelle des Droits de l'homme est adoptée sans opposition à l'Assemblée; c'est la première fois qu'un document de cet ordre est approuvé par la communauté internationale. □ La guerre froide est à son apogée et le Secrétaire général fait remarquer que l'ONU est pratiquement le seul endroit où l'Est et l'Ouest aient des contacts réguliers. □ Des observateurs militaires de l'ONU sont envoyés au Moyen-Orient et en Asie du Sud. □ Des services de statistiques internationales sont assurés de nouveau après une interruption de près d'une dizaine d'années, le Secrétariat de l'ONU commençant à réunir, à analyser et à publier des données dans le monde entier.

1949

Des consultations entamées à l'ONU amènent une résolution de la crise relative à l'accès des Occidentaux à la ville divisée de Berlin. □ L'Assemblée crée une institution chargée de s'occuper de l'aide sociale aux centaines de milliers de réfugiés palestiniens au Moyen-Orient. □ L'ONU et les institutions spécialisées entament un *Programme élargi d'assistance technique* pour aider au développement économique et social dans les pays les plus pauvres. □ Des experts de plus de cinquante pays participent à la Conférence scientifique de l'ONU sur la préservation et l'utilisation des ressources.

1950

Le Conseil de Sécurité lance un appel aux États membres pour qu'ils aident la partie sud de la Corée à repousser l'invasion du nord. (L'Union soviétique est absente du Conseil à ce moment en signe de protestation contre l'exclusion de l'ONU de la République populaire de Chine.) □ A l'initiative de l'ONU, le *Programme de recensement mondial* est institué dans le but de dénombrer tous les dix ans la population mondiale; c'est la première tentative en ce sens de l'Histoire. □ Le *Service de cartographie de l'ONU* est créé; il coordonne avec les gouvernements intéressés la production d'une carte mondiale à une échelle de 1/1 000 000. □ Le Conseil économique et social adopte la *Classification type pour le commerce international,* base de collecte de toutes les statistiques du commerce international.

1951

Le *Haut-Commissariat de l'ONU pour les réfugiés,* créé par l'Assemblée générale, remplace l'Organisation internationale des réfugiés. L'Assemblée adopte également une Convention relative au statut des réfugiés, définissant leurs droits et les normes internationales applicables à leur traitement. □ La Commission régionale du Conseil économique et social pour l'Asie entreprend des études sur le Mekong qui débouchent sur l'un des plus grands projets de mise en valeur d'un bassin fluvial entrepris à l'échelon international.

1952

L'Assemblée générale élargit son examen de la discrimination raciale en Afrique du Sud pour traiter de la question de l'*apartheid* dans son ensemble, sans tenir compte des objections sud-africaines tendant à y voir une question entièrement soumise à la juridiction nationale. Durant les quarante années suivantes, l'Organisation se trouvera à la pointe des efforts internationaux visant à combattre un système raciste que l'Assemblée qualifie de «crime contre l'humanité». □ L'ONU produit le premier d'une série de rapports sur la *situation sociale dans le monde.*

1953

Un armistice en Corée résulte d'initiatives prises à l'ONU. □ La Conférence de l'ONU sur l'opium à New York adopte un Protocole international sur le contrôle, le commerce et l'utilisation de ce stupéfiant.

1954

Le Secrétaire général amorce des négociations discrètes, qui seront couronnées de succès, pour la libération des pilotes américains prisonniers de guerre en Chine. □ La

Conférence mondiale de la population organisée par le Conseil économique et social réunit plus de 450 experts à Rome. Ils n'adoptent pas de résolutions, mais la Conférence permet de constater que la connaissance des tendances démographiques à l'époque est insuffisante pour fonder des décisions de politique économique et sociale. □ Premiers signes de dégel de la guerre froide, lorsque la Commission régionale pour l'Europe du Conseil économique et social étudie les relations commerciales entre pays dotés de systèmes économiques différents. Le *Haut-Commissariat de l'ONU pour les réfugiés* se voit décerner un premier prix Nobel de la paix; un deuxième lui sera attribué en 1981.

1955

Le premier *Congrès sur la prévention du crime et le traitement des délinquants* fixe des normes minimales pour le traitement des prisonniers et pour la formation du personne des établissements pénitentiaires. □ La première Conférence internationale sur l'*utilisation pacifique de l'énergie atomique* se réunit à Genève et lance dans ce domaine une coopération étendue.

1956

La guerre au Moyen-Orient au sujet du canal de Suez s'achève sur le déploiement d'une force de maintien de la paix des Nations Unies dans le Sinaï. □ Un plébiscite supervisé par l'ONU au Togo britannique aboutit à la fusion de ce territoire avec la Côte-de-l'Or pour former le nouvel État du Ghana.

1957

Après le lancement du spoutnik, l'Assemblée générale traite des utilisations pacifiques de l'espace extra-atmosphérique. Les années suivantes, l'Assemblée élabore un ensemble de normes juridiques relatives à l'exploration et à l'utilisation de l'espace extra-atmosphérique, y compris la Lune et d'autres corps célestes. □ L'*Agence internationale de l'énergie atomique,* créée par l'Assemblée générale, entame ses travaux à son siège social de Vienne.

1958

Le groupe d'observateurs des Nations Unies aide à désamorcer la crise au Liban. □ L'*Organisation intergouvernementale consultative de la navigation* commence ses travaux en tant qu'institution spécialisée de l'ONU, établissant des normes de sécurité pour les transports maritimes. □ La première Conférence des Nations Unies sur le droit de la mer adopte quatre conventions d'une importance capitale. □ Le Togo français accède à l'indépendance à la suite d'un plébiscite supervisé par l'ONU.

1959

L'Assemblée générale adopte la *Déclaration des droits de l'enfant.* Un *Fonds spécial* créé par l'Assemblée générale travaille conjointement avec le Programme élargi d'assistance technique pour aider les pays en développement à définir les domaines susceptibles d'attirer des capitaux privés et publics. □ Un plébiscite supervisé par l'ONU au Cameroun britannique a pour conséquence l'intégration d'une partie de ce territoire au Nigéria et de l'autre au Cameroun.

1960

Avec l'entrée à l'ONU de dix-sept territoires nouvellement indépendants, dont seize pays d'Afrique, l'Assemblée générale assume un rôle beaucoup plus actif dans la décolonisation. Elle adopte une *Déclaration sur l'octroi de l'indépendance aux pays et aux peuples coloniaux,* affirmant que le colonialisme est un déni des droits fondamentaux de l'homme et lançant un appel pour qu'il y soit mis rapidement un terme. □ A la demande de l'État nouvellement indépendant du Congo, la plus importante force de maintien de la paix de l'ONU se rend sur place pour tenter de prévenir la déstabilisation de ce pays riche en minéraux et de préserver son intégrité territoriale.

1961

Affirmant que le développement économique et social des pays les plus pauvres est essentiel à la réalisation de la paix et de la sécurité internationales, l'Assemblée générale proclame les années soixante *Décennie des Nations Unies pour le développement*. La capacité de l'ONU à traiter des problèmes de développement s'accroît instantanément au cours de cette décennie.

1962

Le Secrétaire général joue un rôle essentiel pour l'apaisement de l'affrontement entre les États-Unis et l'Union soviétique au sujet des fusées nucléaires à Cuba. □ L'ONU se charge d'administrer la Nouvelle-Guinée occidentale hollandaise avant de transférer les pouvoirs à l'Indonésie. □ Une mission d'observateurs de l'ONU soutient les efforts de paix au Yémen.

1963

L'ONU et la FAO créent le *Programme alimentaire mondial* pour fournir aux pays démunis des produits alimentaires et autres produits de base excédentaires dans les pays donateurs. □ Le Conseil de sécurité demande un embargo volontaire sur les armes à l'encontre de l'Afrique du Sud.

1964

La *Conférence des Nations Unies sur le commerce et le développement* affirme que le commerce est un instrument essentiel du développement et demande la création d'un secrétariat permanent chargé de tous les problèmes en jeu. □ Une force de maintien de la paix de l'ONU est envoyée à Chypre pour sauvegarder la paix entre les communautés. Elle y demeure les années suivantes, tandis qu'une solution pacifique est recherchée par des pourparlers sous les auspices de l'ONU.

1965

Une mission d'observateurs de l'ONU facilite le dégagement des forces après la guerre entre l'Inde et le Pakistan. □ Les activités d'assistance technique reçoivent une impulsion nouvelle avec la fusion du Programme élargi (1949) et du Fonds spécial (1959) en *Programme des Nations Unies* pour le développement de l'ONU. Principale filière de financement pour les institutions spécialisées du système des Nations Unies, le PNUD assume un rôle important de coordination et dispose d'un réseau de «représentants résidents» pour acheminer une assistance dans le monde entier. □ Le FISE est lauréat du prix Nobel de la paix.

1966

Deux pactes importants sur les droits de l'homme sont adoptés, l'un concernant les *droits civils et politiques* et l'autre les *droits économiques, sociaux et culturels.* Le premier contient un Protocole facultatif aux termes duquel des plaintes individuelles peuvent être examinées par le Comité des droits de l'homme. Ces deux instruments obligatoires concernent la plupart des droits inscrits dans la Déclaration universelle des Droits de l'homme de 1948. □ Le Conseil de sécurité, pour la première fois de l'histoire de l'ONU, impose des sanctions obligatoires à l'encontre de la Rhodésie du Sud, où un gouvernement raciste minoritaire blanc a unilatéralement déclaré en 1965 son indépendance vis-à-vis de la Grande-Bretagne. □ L'Assemblée générale met fin au mandat de l'Afrique du Sud sur le territoire du Sud-Ouest africain, le gouvernement sud-africain n'ayant selon elle pas rempli ses obligations.

1967

Une nouvelle guerre ayant éclaté au Moyen-Orient, le Conseil de Sécurité adopte la résolution 242 qui demande le retrait des forces des territoires occupés et reconnaît le droit de tous les États de la région à la sécurité. Cette résolution fournit une base largement acceptée d'un règlement du problème du Moyen-Orient. □ L'Assemblée générale, réunie en session extraordinaire, crée un Conseil des Nations Unies chargé d'administrer le Sud-Ouest africain.

1968

A l'occasion du vingtième anniversaire de la Déclaration universelle, l'Assemblée générale convoque une conférence internationale sur les droits de l'homme à Téhéran. La première réunion à l'échelon gouvernemental qui porte sur l'ensemble des droits de l'homme réaffirme les termes de la Déclaration et définit des domaines prioritaires à l'action future de l'ONU.

1969

La *Convention sur l'élimination de toutes les formes de discrimination raciale*, adoptée par l'Assemblée générale en 1965, entre en vigueur. Les signataires de la Convention condamnant la discrimination raciale et l'*apartheid* s'engagent à adopter sans tarder des politiques visant à les éliminer.

1970

La *Stratégie internationale du développement* est adoptée pour la *deuxième Décennie pour le développement* décrétée par l'Assemblée générale. Des objectifs concernant différents groupes de pays et un accroissement de l'assistance et de la production industrielle et agricole sont définis. ☐ L'Assemblée générale adopte le premier ensemble de principes internationalement reconnus régissant le fond des mers et des océans au-delà des limites de la juridiction nationale. Selon le premier principe, cette zone constitue un héritage commun de l'humanité.

1971

La Cour internationale de justice, dans un avis consultatif demandé par le Conseil de Sécurité, déclare illégale la présence continue de l'Afrique du Sud en Namibie. ☐ L'Assemblée générale rétablit les «droits légitimes» de la République populaire de Chine à l'ONU. ☐ Bahreïn devient indépendant, l'ONU ayant aidé à résoudre le différend entre l'Iran et le Royaume-Uni sur le statut du territoire. ☐ L'Organisation apporte un secours massif aux victimes du conflit du Pakistan oriental (devenu plus tard Bangladesh).

1972

La *Conférence des Nations Unies sur l'environnement* se réunit à Stockholm et entre dans l'histoire en affirmant la nécessité de nouveaux principes régissant les activités humaines de manière à sauvegarder le monde naturel. L'Assemblée générale crée un *Programme des Nations Unies pour l'environnement* pour superviser les mesures prises à cet effet. ☐ Elle crée également l'*Organisation des Nations Unies pour les secours en cas de catastrophe* pour suivre et coordonner l'assistance internationale dans les cas d'urgence.

1973

Une autre guerre au Moyen-Orient s'achève sur l'installation de nouvelles forces de maintien de la paix de l'ONU dans le Sinaï et sur les hauteurs du Golan. □ Une *Université des Nations Unies* est créée par l'Assemblée pour coordonner et organiser les efforts déployés par les communautés intellectuelles du monde pour traiter des problèmes mondiaux.

1974

Après la désagrégation du système monétaire mondial de parités fixes, au milieu de crises énergétique et alimentaire, l'Assemblée appelle à l'instauration d'un *nouvel ordre économique international,* base stable d'une économie mondiale interdépendante. □ Les conférences mondiales sur la population et l'alimentation évaluent la situation actuelle et soulignent la nécessité d'un changement global. □ Des entretiens intercommunautaires à Chypre sont convoqués par le Secrétaire général après l'intervention turque.

1975

La *Conférence mondiale de l'Année internationale de la femme* se réunit à Mexico et adopte une Déclaration sur l'égalité des femmes et leur contribution au développement et à la paix. Un Plan d'action pour les dix années suivantes aux conférences mondiales fournit l'occasion d'examiner les progrès enregistrés à mi-parcours et à la fin de la *Décennie des Nations Unies pour la femme.*

1976

Face aux problèmes perpétuels qu'entraînent la faiblesse et l'instabilité des prix des matières premières (dont la plupart des pays en développement sont tributaires) dans le commerce mondial, la *Conférence des Nations Unies sur le commerce et le développement* adopte un plan pour un *Programme intégré* comprenant un grand fonds nouveau chargé de financer des stocks régulateurs, et un éventail d'accords sur des produits de base.

1977

Le Conseil de sécurité rend obligatoire l'embargo sur les armes à l'encontre de l'Afrique du Sud. □ Un *Fonds international de développement agricole,* d'un montant de un milliard de dollars, nouvelle agence spécialisée de l'ONU, commence à financer la production alimentaire dans les pays en développement.

1978

Une session extraordinaire de l'Assemblée générale consacrée au désarmement réussit à définir un cadre d'action future et un ensemble de priorités. □ Le Conseil de Sécurité adopte un plan d'indépendance de la Namibie avancé par cinq pays occidentaux. □Une conférence mondiale projette de développer et de sauvegarder l'habitat humain. □ Une force de maintien de la paix de l'ONU est au Liban.

1979

L'Assemblée générale adopte une *Convention sur l'élimination de la discrimination à l'égard des femmes,* concernant les droits politiques, économiques, sociaux, culturels et civiques des femmes.

1980

À la suite de la campagne internationale coordonnée par l'Organisation mondiale de la Santé, la variole est éradiquée. Le coût du programme pour l'OMS est à peu près égal à ce que le monde dépense en armes en trois heures.

1981

L'Assemblée générale adopte une *Déclaration sur l'élimination de toutes les formes d'intolérance et de discrimination fondées sur la religion ou la croyance.* □ La *Conférence sur les sources d'énergies nouvelles et renouvelables* définit des mesures à prendre.

1982

Après neuf années de travail complexe et assidu, une Conférence convoquée par l'Assemblée adopte l'instrument juridique peut-être le plus important du siècle, la vaste *Convention sur le droit de la mer* □ Le premier rapport annuel à l'Assemblée du Secrétaire général Javier Perez de Cuellar met en garde contre la tendance à l'anarchie mondiale et lance un appel à la réaffirmation de l'attachement aux principes de la Charte et à l'utilisation de l'ONU comme instrument de paix et de changement rationnel.

1983

Le Secrétaire général se rend en Afrique australe pour des consultations sur l'application du plan du Conseil de Sécurité pour l'indépendance de la Namibie. Les questions en suspens sont presque toutes réglées, mais on ne peut commencer l'application du plan, l'Afrique du Sud insistant sur un retrait préliminaire des troupes cubaines de l'Angola voisin.

1984

Après sept années de travail de la Commission des droits de l'homme, l'Assemblée générale adopte une *Convention contre la torture,* accueillie comme un grand progrès vers un monde plus humain. □ L'Assemblée adopte également une déclaration sur la situation économique critique et la famine en Afrique.

1985

Le Secrétaire général crée le Bureau des opérations d'urgence en Afrique, véritable fer de lance de l'effort de secours massifs contre la famine en Afrique.

Appendice 3

Anatomie de la Paix

par Emery Reves

En 1945, un livre très attendu suggérait qu'ait lieu une réorganisation démocratique de la société humaine afin de préserver les libertés individuelles et les relations humaines pacifiques. Il ne demandait pas l'abandon de quoi que ce soit; il suggérait de créer quelque chose que nous n'avions jamais eu, mais dont nous avions un impérieux besoin. L'auteur, Emery Reves, retraçait notre histoire afin de démontrer que, dans les temps modernes, la notion d'État-nation souverain complètement indépendant est une notion surannée, et que pour mettre un terme à l'anarchie régnant présentement au sein des affaires internationales, la loi et l'ordre devraient s'étendre au niveau mondial. Les affaires locales resteraient du ressort des gouvernements locaux, et les affaires nationales de celui des gouvernements natio-

naux. Quant à la réglementation des affaires internationales et au maintien de la paix, ils nécessiteraient une forme de gouvernement mondial.

Un résumé du livre de Emery Reves, publié par Harper and Brothers en 1945, parut dans le Reader's Digest. *Le sujet étant tout aussi percutant et approprié aujourd'hui, la deuxième partie de ce livre est présentée ici avec la permission de Mme Emery Reves et du* Reader's Digest.

La féodalité du xxᵉ siècle

Les conditions qui prévalent aujourd'hui dans la société humaine présentent une analogie frappante avec celles qui existaient entre le xᵉ et le xiiiᵉ siècle, quand le système politique féodal s'était stabilisé et florissait.

Lorsque, après la chute de l'Empire romain, disparut le pouvoir centralisé du monde occidental connu, les vies et les biens des gens furent privés de la protection nécessaire contre les révoltes des pauvres paysans sans terre ou contre les attaques soudaines d'envahisseurs venus des pays voisins. De cette période chaotique de l'évolution occidentale surgit la féodalité, créée et mise en marche comme système politique par suite du désir de protection et de sécurité éprouvé par les masses. L'homme libre sans terres et le petit propriétaire allèrent trouver le plus puissant seigneur du voisinage et lui demandèrent abri et protection en échange de leurs services.

Les sujets se soumettaient eux-mêmes avec leurs terres — s'ils en avaient — au baron, et ils recevaient de lui nourriture et abri en temps de paix, équipement en temps de guerre; en échange, ils labouraient la terre, payaient des redevances et allaient au combat. Le pouvoir souverain fut, dans la pratique, dévolu aux barons.

Les relations entre les suzerains et leurs vassaux étaient établies par la coutume et réglées par la loi, mais les relations entre seigneurs voisins n'étaient réglées par rien, si ce n'est par des liens de famille et d'amitié, des engagements et des accords mutuels. Naturellement, les jalousies et les rivalités s'allumèrent bientôt parmi les seigneurs qui appelèrent de plus en plus fréquemment leurs vassaux à prendre les armes et à combattre les sujets d'un seigneur voisin.

A mesure que les communications se développaient et que les populations s'accroissaient, les conflits devinrent plus fréquents et plus violents. Chaque chef féodal observait le pouvoir et l'influence de ses voisins avec crainte et méfiance. Il n'y avait aucun moyen pour un seigneur de se protéger d'une attaque, sinon de battre le voisin dans un combat, de conquérir ses terres et d'annexer ses sujets, ce qui avait pour résultat d'augmenter sa propre puissance et d'élargir sa propre sphère d'influence.

Cette évolution aboutit à un chaos complet et à des combats presque incessants. Il fallut longtemps aux vassaux pour comprendre que les contrats qu'ils avaient conclus avec les barons féodaux en vue d'obtenir sécurité et protection avaient amené pour eux des guerres incessantes, l'insécurité, la misère et la mort.

A la fin, cependant, ils découvrirent que leur salut ne pouvait être réalisé que s'ils établissaient et soutenaient un gouvernement qui aurait autorité sur les barons batailleurs et querelleurs, un gouvernement qui serait assez fort pour promulguer et faire respecter des lois supérieures aux intérêts féodaux et qui établirait des relations directes entre les sujets et le gouvernement central, éliminant les souverainetés féodales intermédiaires. Ainsi, ils se rallièrent autour des rois qui étaient devenus assez puissants pour imposer un ordre légal supérieur. La féodalité, qui domina le monde pendant cinq longs siècles, commença finalement à se désagréger au moment où de meilleurs moyens de communication et le développement d'idées communes rendirent possible une plus large centralisation.

Quel rapport y a-t-il donc entre cette longue et douloureuse histoire de la société médiévale et les problèmes qui

nous préoccupent au XXᵉ siècle? La race humaine a conti-
nuellement lutté pour les meilleures formes et les meilleures
méthodes de réalisation d'un ordre social au sein duquel
l'homme trouverait à la fois liberté et sécurité. L'évolution
historique de la société prouve que ces idéaux humains se
réalisent le mieux quand l'individu est en relation directe
avec une source de loi suprême, centrale et universelle.
Deux fois dans l'histoire de la civilisation occidentale, cette
vérité a trouvé son expression institutionnelle : dans les religions monothéistes et dans la démocratie.

La doctrine fondamentale des religions juive, chrétien-
ne et musulmane est le monothéisme, l'unité de Dieu — le
Législateur suprême —, la croyance fondamentale que,
devant Dieu, tous les hommes sont égaux. Cette doctrine est
le roc sur lequel est bâtie la civilisation occidentale
moderne. L'établissement d'un Dieu unique et universel,
considéré comme l'Être suprême et la source unique de
l'autorité sur la race humaine, révéla pour la première fois le
seul système légal sur lequel pût être bâtie une société
humaine pacifique.

A l'époque où fut révélée et proclamée cette conception élémentaire d'une société, les conditions techniques et
matérielles étaient beaucoup trop primitives pour en permettre l'application et la réalisation effectives dans le monde
connu. Pendant longtemps, le concept de l'égalité par une
loi universelle n'exista donc que sous la forme d'une foi
religieuse. Au XVIIIᵉ siècle, cependant, les conditions politiques conduisirent les pères de la démocratie moderne à
prêcher une croisade pour détruire la souveraineté des nombreux rois et tyrans qui opprimaient et subjuguaient les
peuples. Cette croisade amena à proclamer ce principe fondamental que la souveraineté dans la société humaine réside
dans la communauté.

Ce principe, véritable fondement de la démocratie,
représente le corollaire politique du monothéisme. La thèse
était qu'il ne peut y avoir qu'une source souveraine et
suprême de la loi : la volonté de la communauté, et que tous

les hommes doivent être reconnus comme égaux sous cette loi. C'est une des grandes tragédies de l'histoire que la reconnaissance et la proclamation de ce principe aient eu lieu un siècle trop tôt.

Lorsque celui-ci devint la doctrine prédominante, l'universalité de la loi n'était pas encore réalisable ni techniquement possible. Le monde était encore trop grand, il ne pouvait pas encore être contrôlé par un pouvoir central; c'était encore une planète exclusivement agricole, avec des conditions économiques différant à peine de celles de l'Antiquité. Aussi vit-on se présenter un substitut qui permit à la nouvelle doctrine de la souveraineté démocratique de trouver immédiatement une expression pratique.

Ce substitut, c'était la nation. Au XVIIIe siècle, il était impossible d'organiser la société sur la base de l'universalité. En conséquence, la démocratie ne pouvait être organisée selon ses principes universels fondamentaux, elle devait être organisée sur la base nationale.

Le problème sembla pendant longtemps résolu d'une façon satisfaisante; les citoyens et les sujets des États-nations démocratiques modernes goûtèrent une liberté, une sécurité et un bien-être inconnus jusqu'alors.

Mais bientôt, sous le formidable développement des communications internationales, les diverses unités nationales souveraines furent mises en étroit contact les unes avec les autres. Tout comme au Moyen Age, ces contacts entre les unités nationales souveraines produisirent des frictions et des conflits.

Aujourd'hui, loin de posséder la liberté, loin d'obtenir la protection et la sécurité qu'ils attendaient de leurs États-nations, les citoyens sont sans cesse exposés à l'oppression, à la violence. La multiplicité des unités souveraines en conflit dans notre société détruit tout vestige de la liberté, de la protection et de la sécurité promises à l'origine et accordées à l'individu par les États-nations.

Au milieu du XXe siècle, nous vivons dans une ère de féodalité politique absolue dans laquelle les États-nations ont assumé exactement le même rôle que les barons féodaux d'il y a mille ans. Cette division artificielle et arbitraire de la société humaine pousse les États-nations à agir envers leurs sujets et leurs voisins de la même manière que les seigneurs féodaux agissaient.

Dans le système d'États-nations, nous sommes dans l'incapacité de participer à la création de la loi dans un autre pays que le nôtre. C'est, par conséquent, une duperie de dire que les Américains, les Anglais ou les Français sont des «peuples libres». Ils peuvent être attaqués par d'autres nations et obligés de faire la guerre à n'importe quel moment. Ils vivent dans un état de crainte et d'insécurité tout aussi grand que sous les tyrans qui menaçaient arbitrairement leurs libertés.

Ce système de féodalités nationales plongea le monde dans une barbarie sans précédent et détruisit presque tous les droits individuels et les libertés humaines acquises au prix de tant de sang et de peine par nos ancêtres.

Il n'y a pas le plus léger espoir que nous puissions modifier la route sur laquelle nous sommes rapidement poussés par les conflits entre États-nations, aussi longtemps que nous considérerons ceux-ci comme l'expression finale et suprême de la souveraineté du peuple. Nous serons précipités à une vitesse sans cesse accrue vers plus d'insécurité, plus de destructions, plus de haine, plus de barbarie et de misère, tant que nous n'aurons pas résolu de détruire le système politique des féodalités nationales et d'établir un ordre social basé sur la souveraineté de la communauté, comme il fut conçu par les fondateurs de la démocratie et comme il s'applique aux réalités présentes.

La cause réelle de la guerre

On tient ordinairement pour acquis que la guerre a des causes innombrables et qu'essayer de les supprimer toutes serait une tâche sans espoir.

Si nous ne voulons pas devenir les victimes impuissantes de la superstition, nous devons refuser d'admettre de telles assertions qui sont vraies en apparence, mais reposent sur des bases erronées.

Une observation superficielle porte à croire que les guerres ont des causes très variées. Chez les peuples primitifs, les familles, les clans et les tribus se sont mutuellement réduits en esclavage et exterminés pour avoir de la nourriture, des abris, des femmes, des pâturages et des terrains de chasse. Plus tard, à un degré plus haut de civilisation, nous voyons lutter les unes contre les autres des colonies plus étendues et des communautés urbaines : Ninive, Babylone, Troie, Athènes, Sparte, Rome, Carthage. Après la chute du système féodal, le terrain de conflit se déplaça de nouveau et les guerres furent conduites par de grands centres commerciaux : Venise, Florence, Hambourg, Dantzig et autres. Puis une autre série de guerres furent conduites par des monarques absolus, dans l'intérêt de leurs dynasties, et encore une autre série par des religions organisées. Et finalement, la création d'États-nations modernes a abouti à une série de conflits gigantesques entre des nations totalement mobilisées.

Si nous regardons en arrière, la guerre nous apparaît comme une hydre aux cent têtes. Aussitôt que les artisans de paix en tranchaient une, de nouvelles apparaissaient immédiatement sur le monstre. Et pourtant, si nous analysons les diverses causes apparentes des guerres passées, il n'est pas difficile de trouver un fil conducteur à travers ces étranges phénomènes historiques. La cause réelle de toutes les guerres a toujours été la même.

Les guerres entre groupes d'hommes constituant des unités sociales ont toujours lieu lorsque ces unités — tribus, dynasties, Églises, nations — exercent un pouvoir souverain illimité.

Les guerres entre ces unités sociales cessent au moment où le pouvoir souverain est transféré à une unité plus étendue ou plus haute.

Les causes et les raisons alléguées par l'histoire comme ayant provoqué ces conflits sont sans importance, car elles continuaient d'exister longtemps après la fin des guerres. Les cités et les provinces continuent à se concurrencer les unes les autres. Les convictions religieuses sont tout aussi différentes aujourd'hui que pendant les guerres de religion.

La seule chose qui ait changé, ce sont les institutions qui expriment la souveraineté, le transfert de la souveraineté d'un type d'unité sociale à un autre type plus élevé.

Une fois que l'on comprend le mécanisme et la cause fondamentale des guerres — de toutes les guerres — la futilité et la puérilité des discussions passionnées sur les armements et le désarmement apparaissent aux yeux de tous.

Si la société humaine était organisée de telle manière que les relations entre les groupes et les unités en contact fussent réglées par la loi et par des institutions légales sous contrôle démocratique, la science moderne pourrait fabriquer les armes les plus redoutables, il n'y aurait pas de guerre. Mais si l'on permet à des unités et à des groupes de posséder des droits souverains sans régler leurs relations par la loi, alors, même si l'on prohibe toutes les armes jusqu'au simple canif, les gens s'assommeront les uns les autres à coups de massues.

Il est tragique d'observer l'extrême aveuglement et l'ignorance de nos gouvernements et de nos leaders politiques à l'égard de ce problème mondial d'une importance vitale.

Après 1919, les artisans de la paix étaient obsédés par l'idée que les armements mènent à la guerre, qu'une condition *sine qua non* de la paix du monde est la limitation générale et la réduction des armements. La pensée internationale fut complètement dominée par le désarmement pendant les quinze années qui suivirent la signature du Covenant. Une formidable propagande fut lancée dans le public pour le persuader qu'aucun pays ne devait construire de vaisseaux de guerre supérieurs à trente-cinq mille tonnes, que le calibre des canons devait être réduit, la guerre sous-marine et la guerre des gaz prohibées, et ainsi de suite. . .

Nos dirigeants prônent aujourd'hui l'idée opposée. On nous dit à présent que seuls des armements puissants peuvent sauvegarder la paix, que les nations démocratiques doivent maintenir des flottes, une aviation et des armées motorisées très puissantes, que nous devons contrôler les bases militaires stratégiques dispersées autour du globe si nous voulons prévenir les agressions et maintenir la paix.

Cette idée, l'idée de maintenir la paix par des armements, est tout aussi fallacieuse que l'idée de maintenir la paix par le désarmement. Les armes ont tout autant de rapport avec la paix que les grenouilles avec le temps. La conscription et les armées nombreuses ne sont pas plus capables de maintenir la paix que l'absence de conscription et le désarmement.

Le problème de la paix est un problème social et politique, non un problème technique.

La vraie signification de la souveraineté

Le problème fondamental de la paix est le problème de la souveraineté. Le bien-être, le bonheur, l'existence même d'un mineur de Pennsylvanie, du Pays de Galles, de Lorraine ou du bassin du Donetz, d'un fermier de l'Ukraine, de l'Argentine, du Middle West ou des champs de riz de la Chine, bref, l'existence même de chaque individu, dépendent de l'interprétation et de l'application de la souveraineté. Il ne s'agit pas là d'un débat théorique, mais d'une question plus vitale que les salaires, les prix, les impôts, parce que la solution de tous les problèmes quotidiens de deux milliards d'êtres humains dépend de la solution du problème central de la guerre.

Le fait même qu'on parle tant aujourd'hui de souveraineté — mot qui, il y a dix ou vingt ans, était rarement mentionné dans les discussions politiques — témoigne de l'existence d'un point douloureux dans le corps politique. Il n'y a aucun doute que la souveraineté est atteinte de quelque mal, que l'interprétation actuelle de cette notion traverse une crise et qu'il devient nécessaire de la revoir, de la clarifier et de l'interpréter à nouveau.

Que signifie ce mot «souveraineté»?

On a découvert à une époque très ancienne de la société humaine que, pour pouvoir vivre ensemble dans une famille, dans une tribu, il était nécessaire d'imposer certaines restrictions à nos penchants naturels, d'interdire certaines choses que nous aimons faire et de nous obliger à en faire d'autres qui ne nous plaisent pas.

La nature humaine est ainsi faite que l'homme n'accepte pas de règles, si elles ne lui sont pas imposées par une autorité constituée. La première autorité absolue fut Dieu. Aussi fut-il nécessaire de faire croire au peuple que les règles qu'on lui imposait étaient les commandements express de Dieu. Ceux-ci furent proclamés, avec tout le mystère dont ils disposaient, par les prêtres qui avaient directement accès à Dieu et qui savaient traduire sa volonté dans un tel déploiement de tonnerre et d'éclairs que les peuples épouvantés s'y soumettaient.

Nous avons là la première autorité souveraine — la première source de loi —, un symbole surnaturel. Des monarques, des chefs, des empereurs et des rois, pour maintenir leur autorité et leur pouvoir législatif, pour obliger les peuples à reconnaître en eux la source suprême de la loi, s'unirent le plus étroitement possible avec la religion et proclamèrent qu'ils tenaient leur pouvoir de Dieu.

Les monarques de droit divin furent appelés souverains et leur pouvoir législatif fut désigné comme «souverain».

Entre la Renaissance et le XVIIIe siècle, un idéal social révolutionnaire prit forme : le principe qu'aucun individu, aucune famille, aucune dynastie ne pouvait plus longtemps être considéré comme «souverain», que l'autorité législative souveraine était le peuple.

Ce principe révolutionnaire aboutit à l'établissement des républiques américaine et française et au système parlementaire d'Angleterre et de maints autres pays, selon lequel «le roi règne, mais ne gouverne pas».

L'idéal de souveraineté nationale, à l'origine, fut un grand pas en avant et un stimulant du progrès humain. La Déclaration d'Indépendance américaine, la Révolution française, suivant le développement des institutions représentatives en Angleterre, furent pour les autres peuples un puissant encouragement dans la lutte qu'ils menaient pour leur souveraineté et leur indépendance. Le sommet de cette évolution fut atteint dans les traités de paix de 1919, lorsque plus de nations que jamais devinrent entièrement indépendantes et souveraines. Vingt ans plus tard, toutes ces orgueilleuses souverainetés régionales gisaient dans la poussière et plus de gens qu'il n'y en eût jamais au cours de l'histoire moderne étaient réduits en esclavage et plongés dans la misère.

Comment cela arriva-t-il?

Cela arriva parce que le système politique établi en 1919, apothéose des idéaux du XVIII siècle, était un anachronisme et en contradiction totale avec l'état réel des choses au XX siècle. Les grands idéaux de souveraineté nationale, d'indépendance, de nationalité, considérés comme la base des États, avaient été de merveilleuses réussites au XVIII siècle, dans un monde qui était très vaste, avant le début de la révolution industrielle.

Notre conception actuelle de la souveraineté nationale montre à quel point un idéal, une fois réalisé, peut être déformé au cours d'un seul siècle.

La conception démocratique de la souveraineté signifiait le transfert des droits souverains d'un seul homme, le roi, à tous les hommes, le peuple. Au sens démocratique, la souveraineté résidait dans la communauté.

Nous devons essayer de nous représenter le monde tel qu'il était alors, au XVIII siècle. La révolution industrielle n'avait pas encore commencé. La diligence était le moyen de locomotion le plus rapide. Dans ces conditions, l'horizon le plus étendu des précurseurs de la démocratie était la nation. Lorsqu'ils proclamèrent la souveraineté de la nation, ils entendaient la souveraineté de la communauté; ils entendaient donner à la souveraineté la base la plus large possible.

De la façon dont le monde est organisé aujourd'hui, la souveraineté *ne réside pas* dans la communauté, elle est exercée sous une forme absolue par des groupes d'individus que nous appellerons nations. Cela est en contradiction complète avec la conception démocratique originelle de souveraineté. Aujourd'hui, la souveraineté a une base beaucoup trop étroite; elle n'a plus la puissance qu'elle devrait et qu'elle était censée avoir. Le mot est le même. La conception qu'il exprime est la même. Mais les circonstances ont changé. Les conditions du monde ont changé.

Les germes de la crise du XXe siècle commencèrent à se développer presque immédiatement après l'établissement des États-nations démocratiques modernes. Indépendamment de ceci, quelque chose survint qui était destiné à devenir un mouvement aussi puissant et un facteur aussi important du progrès humain : c'était l'industrialisme.

Ces deux courants dominants de notre époque, le nationalisme et l'industrialisme, sont en conflit constant et inévitable.

L'industrialisme tend à embrasser tout le globe dans sa sphère d'activité. L'industrie moderne a besoin des matières premières de tous les points de l'univers et elle cherche des marchés dans tous les coins du monde. Elle lutte pour atteindre ses objectifs, sans s'occuper des barrières, qu'elles soient politiques, géographiques, raciales, religieuses, linguistiques ou nationales. Le nationalisme, d'autre part, tend à diviser ce monde en petits groupes indépendants.

Pendant un siècle environ, ces deux courants opposés eurent la possibilité de s'écouler côte à côte. La constitution politique de l'univers divisé en États-nations comptait quelques compartiments assez étendus pour permettre à l'industrialisme de se développer.

Mais depuis le début de ce siècle, ces deux forces se sont affrontées avec une violence titanesque. C'est cette collision entre notre vie politique et notre vie économique et technique qui a causé la crise du xxe siècle dans laquelle nous nous débattons depuis 1914, aussi impuissants que des cobayes.

La signification de ce bouleversement est claire. La structure politique de notre monde avec ses États-nations souverains est un obstacle insurmontable au libre progrès industriel, à la liberté individuelle et à la sécurité sociale.

Ou nous comprendrons ce problème et nous créerons en ce monde une organisation politique dans laquelle l'industrialisme, les libertés individuelles et des relations pacifiques entre les hommes seront possibles, ou nous refuserons dogmatiquement de changer les bases de notre structure politique surannée.

Le premier pas vers la fin du chaos actuel est de surmonter le redoutable obstacle sentimental qui nous empêche de comprendre et d'admettre que l'idéal des États-nations souverains, malgré tous les grands succès qu'il a remportés durant le xixe siècle, est aujourd'hui la cause des innombrables souffrances et de la misère de ce monde. Nous vivons dans une anarchie complète parce que, dans un univers étroit, inextricablement enchevêtré à tous égards, il y a [cent cinquante-neuf] sources distinctes de loi,[cent cinquante-neuf] souverainetés.

Ce qui est significatif à propos de la crise actuelle, c'est que les États-nations, même les États-Unis d'Amérique, la Grande-Bretagne et l'Union soviétique ne sont plus assez forts, ne sont plus assez puissants pour atteindre l'objectif pour lequel ils furent créés. Ils ne peuvent prévenir des catastrophes telles que la Première ou la Deuxième Guerre mondiale. Ils ne peuvent protéger leurs peuples contre la dévastation de la guerre internationale.

Et si la souveraineté de ces grandes nations ne suffisent pas pour protéger leurs citoyens, il ne vaut même pas la peine de parler de la fiction de souveraineté de la Lettonie ou de la Roumanie.

A dire vrai, l'idéal de l'État-nation a fait faillite. L'État-nation est incapable de prévenir une agression étrangère, il ne constitue plus l'institution suprême capable de protéger son peuple contre la guerre et toutes les infortunes que la guerre apporte.

La Deuxième Guerre mondiale a finalement démontré qu'aucune des nations existantes, même la plus puissante, ne peut se suffire économiquement à elle-même.

Les réalités économiques et techniques de notre temps nous obligent impérieusement à réexaminer la notion de souveraineté, et à créer des institutions souveraines basées sur la communauté, conformément à la conception démocratique originelle. La souveraineté du peuple doit s'élever *audessus* des nations de sorte que, sous sa loi, chaque nation puisse être égale à une autre, de même que chaque individu est égal aux autres devant la loi dans un État civilisé.

Il ne saurait être question d'un «abandon» de la souveraineté nationale. Le problème ne signifie pas l'abandon de quelque chose que nous possédons déjà. Le problème est de créer quelque chose que nous n'avons jamais eu, mais dont nous avons un impérieux besoin.

La création d'institutions dotées d'un pouvoir universel souverain n'est qu'une nouvelle phase du même processus au cours de l'évolution de l'histoire humaine : l'extension de la loi et de l'ordre à un autre champ de l'association humaine qui jusqu'ici est demeuré sans réglementation et en pleine anarchie.

Il y a quelques siècles, de nombreuses cités possédaient des droits pleinement souverains. Plus tard, une partie de la souveraineté municipale fut transférée aux provinces, puis à des unités plus étendues et, finalement, aux États-nations.

Aujourd'hui, dans les États-Unis d'Amérique, les problèmes de protection contre l'incendie, d'adduction d'eau, de voirie et autres de même espèce relèvent de l'autorité municipale.

La construction des routes, l'éducation, la législation des entreprises industrielles et commerciales et un grand nombre d'autres problèmes sont du ressort de chaque État.

Enfin, les problèmes relatifs à l'armée, à la marine, à la politique étrangère, à la monnaie, etc., dépendent de la souveraineté fédérale.

A mesure que l'humanité progresse, les conditions de vie exigent une base toujours plus large de souveraineté, de pouvoir absolu, pour atteindre cet objectif : la protection du peuple.

Les New-Yorkais sont citoyens de la cité de New York, de l'État de New York et des États-Unis d'Amérique. Mais ils sont aussi citoyens du monde. Leur vie, leur sécurité, leurs libertés sont protégées dans une sphère très étendue par l'autorité souveraine qui réside dans le peuple, lequel a délégué ses pouvoirs en partie à la cité de New York, en partie à l'État de New York et en partie au gouvernement fédéral des États-Unis d'Amérique.

Si l'État de New York promulguait des lois économiques ou sociales ayant des répercussions désastreuses sur la vie économique et les conditions du travail dans le Connecticut, et s'il n'existait pas de souveraineté plus haute, un tel acte de la part de l'État souverain de New York ne pourrait être empêché par l'État souverain du Connecticut, si ce n'est par la guerre.

Mais une souveraineté plus haute — la souveraineté fédérale — existe et devant elle l'État de New York et l'État du Connecticut sont égaux. Cette souveraineté plus haute protège seule le peuple contre un pareil danger.

La souveraineté démocratique du peuple ne peut être vraiment exprimée et instituée effectivement que si les affaires locales sont aux mains d'un gouvernement local, les affaires nationales aux mains d'un gouvernement national, et les affaires internationales aux mains d'un gouvernement international mondial.

C'est seulement par la division des souverainetés que nous pourrons avoir un ordre social permettant aux hommes de vivre en paix les uns avec les autres, nantis de droits égaux et d'obligations égales devant la loi. C'est seulement dans un ordre mondial fondé sur la séparation des souverainetés que la liberté individuelle peut être une réalité.

La souveraineté s'exprime dans des institutions, mais elle n'est et ne peut jamais être en elle-même identique à une institution. Prétendre que les droits souverains doivent éternellement résider dans une institution spécifique — aujourd'hui, l'État-nation — croire que l'État-nation est l'expression même de la souveraineté, c'est là pur totalitarisme, le plus grand ennemi de la démocratie.

Les États-nations furent institués à l'origine par les peuples et en reçurent le pouvoir pour mener à bien des tâches nettement définies. Au moment où ces institutions établies ne se maintiennent plus au niveau des conditions de la vie sociale, et deviennent incapables de garantir la paix, elles deviennent une source de grand danger et doivent être réformées si l'on veut prévenir des convulsions sociales violentes et des guerres.

Une telle réforme n'exige pas l'abolition des nations et des frontières nationales. A l'intérieur de chaque État-nation nous avons toujours des frontières d'États, des démarcations de comtés, des limites de cités, des bornes de domaines ou de maisons et d'appartements. Les familles ont un nom à elles qui diffère de celui des autres. Nous aimons, protégeons et défendons nos familles plus que d'autres familles. Nous aimons nos foyers, nous gardons fidélité à nos propres communautés, à nos campagnes, à nos provinces.

Mais le pouvoir souverain n'est pas investi dans ces unités qui nous divisent.

Le pouvoir souverain est investi dans l'État, qui nous unit.

Si le peuple, seule source de pouvoir souverain, parvenait à cette conclusion qu'en certains domaines il serait mieux protégé en déléguant une partie de sa souveraineté à des corps autres que les États-nations, alors rien ne serait «abandonné». Ou plutôt quelque chose serait créé : une loi et un ordre social dans un domaine où une pareille loi n'a jamais existé, et la protection de la vie et de la liberté de tous les peuples. Quelle grande acquisition cela serait que de transférer certains aspects de nos droits souverains des corps nationaux (législatif, judiciaire et exécutif) à des corps universels élus et contrôlés aussi démocratiquement en vue de créer, d'appliquer et d'exécuter la loi régissant les relations humaines dans le domaine international!

L'utopie des traités de paix

Si jamais, depuis l'époque de la tour de Babel, la confusion a régné dans le monde, c'est bien aujourd'hui. Des milliers d'ouvrages et d'articles ont été publiés à propos de ce problème de première importance qui se pose à nous : comment établir un ordre mondial qui puisse empêcher une autre guerre universelle?

Tous les faiseurs de plans pour une paix durable croient qu'ils détiennent une formule magique; qu'ils pourront faire agir quelque chose qui n'a jamais joué; qu'après la faillite de milliers de traités de paix, ils pourront en élaborer un qui empêchera la guerre.

La paix dans une société signifie que les relations entre les membres de la société sont réglementées par la loi, qu'il existe un mécanisme législatif, juridique, démocratiquement contrôlé, et que, pour faire respecter ces lois, la communauté a le droit d'employer la force, droit qui est refusé aux membres individuels de cette communauté.

La paix est l'ordre basé sur la loi. Il n'est pas d'autre définition concevable.

Toute autre conception de la paix est pure utopie.

Chaque fois qu'une guerre a lieu, elle est suivie de discussions interminables sur la nature du traité de paix qui doit être conclu. Des centaines de suggestions sont présentées, mais quelle que soit la nature du traité que l'on signe, la guerre suivante est inévitable.

Pourquoi?

Parce que le contenu d'un traité de paix importe peu — c'est l'idée de traité qui est en soi une erreur.

Nous avons eu dans l'histoire de l'humanité des milliers et des milliers de traités de paix. Aucun n'a duré plus de quelques années. Aucun d'eux n'a pu prévenir une nouvelle guerre, pour la simple raison que la nature humaine — qui ne peut être changée — est telle que les conflits sont inévitables, aussi longtemps que le pouvoir souverain appartient à des membres individuels ou à des groupes de membres de la société et non à la société elle-même.

Si nous voulons la paix entre X unités souveraines, basée sur des traités, alors la paix est une impossibilité et il est même puéril d'y songer. Mais si nous concevons la paix comme l'ordre basé sur la loi, elle devient alors une proposition pratique qui peut être réalisée entre États-nations aussi bien qu'elle l'a été si souvent dans le passé entre États, provinces, cités, principautés et autres unités.

L'alternative de la paix ou des guerres réitérées dépend d'une proposition très simple.

Cela dépend de savoir si nous voulons fonder les relations internationales sur des traités, qui sont essentiellement des instruments statiques, ou sur la loi, qui est essentiellement un instrument dynamique. La société, phénomène dynamique par excellence, ne peut être maîtrisée par des moyens statiques.

La vie dans son essence est changement constant, évolution perpétuelle.

Jusqu'à présent, la paix entre les nations a toujours été une conception statique. Nous avons toujours essayé de fixer une sorte de *statu quo*, que nous avons étroitement enfermé dans un traité, et nous avons rendu tout changement de ce *statu quo* impossible, sinon par la guerre.

C'est là une conception grotesque de la paix. Si nous comprenons que la paix n'est pas un *statu quo*, qu'elle ne peut jamais être une conception négative ou statique, mais qu'elle est une méthode pour traiter les affaires humaines, alors le problème de la paix peut être définitivement et parfaitement résolu. En fait, il a souvent été résolu dans de nombreux domaines, mais toujours par la méthode de la loi, jamais par la méthode des traités. Ces deux méthodes sont de qualité différente et ne peuvent jamais converger. Nous n'arriverons jamais à un ordre légal par le moyen des traités. Si notre but est une société fondée sur la loi, alors il est impérieusement nécessaire de partir de données nouvelles.

Un étrange paradoxe persiste dans les esprits dogmatiques de nos hommes d'État et de nos penseurs politiques. C'est la croyance traditionnelle, héritée du passé et qui domine entièrement leurs points de vue et leurs actes, qu'il existe deux méthodes différentes pour maintenir la paix entre les hommes.

L'une, universellement reconnue et appliquée à l'intérieur des unités nationales souveraines est : la LOI, l'ORDRE, le GOUVERNEMENT.

L'autre, jusqu'à maintenant employée *entre* unités nationales souveraines, est : la POLITIQUE, la DIPLOMATIE, les TRAITÉS.

C'est une aberration mentale, un tableau tout à fait déformé du problème.

La paix ne peut jamais être réalisée par deux méthodes aussi contradictoires pour la simple raison qu'en réalité la paix s'idendifie à l'une d'elles.

La paix est la loi. Elle est l'ordre. Elle est le gouvernement.

La «politique» et la «diplomatie», non seulement peuvent conduire à la guerre, mais elles y arrivent inéluctablement parce qu'elles sont vraiment identiques à la guerre.

Plusieurs milliers d'années d'évolution sociale se sont cristallisées dans cet axiome applicable à n'importe quelle société humaine :

La paix entre les hommes ne peut être réalisée que par un ordre légal, par une source souveraine de loi, un gouvernement démocratiquement contrôlé, doté d'organismes exécutif, législatif et judiciaire indépendants. C'est là la seule méthode qui ait prouvé qu'elle était capable de poursuivre et de réaliser sans violence les changements dans les relations humaines.

L'autre méthode, celle de la diplomatie, essayée tant et tant de fois pour maintenir la paix entre des unités souveraines de toute espèce et de toute grandeur, la méthode adoptée dogmatiquement et obstinément par nos gouvernements nationaux, a invariablement échoué en tout temps, en tous lieux et en toutes circonstances. Croire que nous pourrons maintenir la paix entre des hommes vivant dans des unités nationales souveraines séparées par les méthodes de la politique et de la diplomatie, sans gouvernement, sans la création d'institutions législatives souveraines, ce n'est autre chose qu'un rêve.

Essayer d'empêcher la guerre par le recours à la politique, c'est essayer d'éteindre le feu avec un lance-flammes.

Les accords et les traités entre des gouvernements nationaux d'égale souveraineté ne peuvent jamais durer parce que de tels accords, de tels traités, sont le produit de la méfiance et de la crainte. Ils ne découlent jamais des principes. La loi est le seul fondement sur lequel, dans la société moderne, puisse exister la vie sociale. Nous ne pouvons nous fier aux promesses des hommes de ne pas tuer, à leurs engagements de ne pas voler, de ne pas tromper. C'est pourquoi il est nécessaire d'avoir des lois, des tribunaux, une police, dont les devoirs et les fonctions sont clairement précisés par avance.

Dans les relations internationales nous parlons encore de «l'indépendance» des nations d'une façon absolue, croyant qu'une nation n'est indépendante que si elle a le pouvoir souverain de faire ce qu'elle veut, de signer des traités avec d'autres puissances souveraines et de «décider» de la guerre et de la paix. Nous repoussons catégoriquement toute réglementation de cette souveraineté nationale, sous prétexte que cela détruirait l'indépendance nationale.

Une telle indépendance est illusoire. Par exemple, les États-Unis d'Amérique, refusant de céder la moindre parcelle de leur souveraineté nationale et niant catégoriquement à quelque organisation mondiale que ce soit le droit d'interférer dans le privilège souverain du Congrès de décider de la guerre ou de la paix, furent forcés en 1941 à entrer en guerre à la suite d'une décision prise exclusivement par le Conseil impérial de guerre à Tokyo. Est-ce ça l'indépendance?

L'indépendance d'une nation, exactement comme celle d'un individu, ne repose pas seulement sur sa liberté d'action, elle dépend également du degré où la liberté d'action d'autres nations empiète sur sa propre indépendance. C'est seulement si nous faisons reposer les relations internationales sur la loi — comme nous le faisons pour les relations des individus et des groupes à l'intérieur d'une société organisée — que nous pourrons espérer voir l'évolution constante et inévitable essentielle à la vie se produire au sein de cet ordre légal par des méthodes pacifiques.

Le dogme de «la souveraineté nationale», qui est supposé nous intimider, n'a rien à voir sous ce rapport. Dans l'un et l'autre cas — que l'on s'appuie sur des traités ou que l'on instaure un ordre légal —, la souveraineté est investie dans le peuple. La différence est que, dans le système des traités, la souveraineté du peuple ne s'exerce pas sous une forme assez efficace parce que chaque État-nation souverain n'a de pouvoir que sur un territoire limité, sans la moindre possibilité de contrôle sur les autres nations souveraines désireuses de modifier le *statu quo* existant; tandis que, dans un monde fondé sur la loi, les changements dans les relations internationales pourraient être, pour la première fois, réalisés sans violence par une procédure instituée légalement.

Le super-État et l'individu

A une époque si prodigieusement fertile en slogans politiques, un autre concept a été lancé par les ennemis du progrès, concept destiné à devenir l'objet de débats passionnés. C'est le super-État. Voilà un terme qui paraît redoutable. Tous les hommes doués d'instincts normaux sont supposés réagir à l'unisson pour dire : Nous n'en voulons pas! Chaque tentative pour établir un ordre légal au-delà des frontières des États-nations d'aujourd'hui serait vouée au discrédit et à l'échec par cette question rhétorique : Désirez-vous vivre dans un super-État?

Établir un ordre légal sur un plus grand territoire ne crée pas automatiquement un super-État. Le critère d'un super-État est le degré auquel celui-ci interfère avec les libertés individuelles. L'Italie de Mussolini était plus un «super-État» que les États-Unis bien que ces derniers soient vingt-cinq fois plus vastes.

Notre idéal est l'État démocratique. L'État où nous souhaitons vivre est celui qui peut nous garantir le maximum de liberté individuelle. Mais lorsque, au début du XXe siècle, le progrès industriel commença à miner la structure de l'État-nation, chacun des États-nations prit des mesures artificielles pour consolider cette structure. Un mouvement commença qui, dans la plus grande partie du monde, tendait à la destruction complète de toute liberté individuelle.

Dans certains pays, comme l'Allemagne, l'Italie et l'Espagne, ce changement fut entrepris ouvertement et expressément par la suppression de la liberté individuelle, par la proclamation du principe selon lequel le salut réside dans l'État-nation totalitaire tout-puissant, doté du droit de disposer des vies mêmes des citoyens.

Dans d'autres pays, comme les États-Unis, la Grande-Bretagne, la France, l'évolution fut lente, graduelle et involontaire. Nous avons continué à soutenir l'idéologie démocratique, mais peu à peu nous avons, de plus en plus, fait abandon de notre liberté individuelle pour renforcer nos États-nations respectifs.

Il ne sert à rien de blâmer tel gouvernement ou tel parti politique pour la centralisation croissante de l'administration d'État. La tendance est irrésistible. Sous la double menace d'une guerre imminente et inévitable exerçant une pression extérieure, et de conflits sociaux accrus, de crises économiques, de chômage exerçant une pression intérieure, il devenait et il était impérieux pour chaque nation de renforcer l'État en instituant ou en étendant le service militaire, en acceptant des impôts de plus en plus élevés, en admettant une intervention de plus en plus grande de l'État dans la vie quotidienne des individus.

C'est un étrange paradoxe qu'à toute suggestion d'un ordre légal universel, garantissant à l'humanité, pour plusieurs générations, sa libération de la guerre, et par conséquent la liberté individuelle, tous les adorateurs des États-nations actuels chuchotent :«super-État»!

En réalité, c'est l'État-nation actuel qui est devenu un super-État. Ce n'est pas le cauchemar de l'avenir, ni une proposition que nous puissions librement accepter ou repousser. Nous vivons en lui aujourd'hui. Et si notre but suprême est de maintenir la division du monde en États-nations, nous serons de plus en plus soumis à ce tout-puissant super-État. Sous la menace constante de la guerre étrangère et sous la pression brûlante des problèmes économiques insolubles sur une base nationale, nous sommes obligés d'abdiquer l'une après l'autre nos libertés. Au stade actuel de l'industrialisme, les États-nations ne peuvent se maintenir que d'une seule manière, en devenant des super-États.

Et il ne peut y avoir de liberté avec ce système. Nous ne pouvons dire que notre liberté individuelle est garantie, s'il nous faut tous les vingt ans arrêter la production des objets de consommation et gaspiller toutes nos énergies et nos ressources dans la fabrication des engins de guerre.

Nous ne pouvons dire que nous possédons la liberté de parole et de presse lorsque tous les vingt ans les circonstances obligent à établir la censure.

Nous ne pouvons dire que la propriété privée est garantie si tous les vingt ans une écrasante dette publique et l'inflation détruisent nos économies.

Les défenseurs de la souveraineté nationale diront que toutes ces restrictions sont des mesures exceptionnelles, imposées par les exigences de la guerre, et qu'on ne peut les considérer comme normales.

Sans doute, ce sont des mesures exceptionnelles. Mais comme la structure du monde en États-nations, loin de pouvoir empêcher la guerre, est la seule et ultime cause du retour des guerres internationales et comme la période qui suit chacune de ces guerres internationales est, en même temps, le prélude au prochain choc violent entre les nations, quatre-vingt ou quatre-vingt-dix pour cent de notre vie s'écoule dans des périodes de mesures exceptionnelles.

Il est d'autant plus important de reconnaître la nécessité primordiale d'un ordre universel politique et légal qu'il n'existe pas la moindre possibilité de résoudre aucun de nos problèmes économiques ou sociaux dans un monde divisé en nombreux compartiments nationaux hermétiquement fermés.

Il est émouvant de constater à quel point les grandes masses laborieuses aspirent à de meilleures conditions de vie, à de plus hauts salaires, à une meilleure instruction, à plus de loisirs, à de meilleurs logements, à plus de soins médicaux et de sécurité sociale. Mais, sous la menace certaine des guerres, toutes ces aspirations sociales des peuples sont indéfiniment ajournées. Même si, dans un pays ou dans un autre, une législation est promulguée à cet effet, elle sera détruite et enterrée par la prochaine guerre universelle, comme les chalets de montagne le sont par une avalanche.

Le plein emploi pour les travailleurs dans l'édifice politique compartimenté des États-nations souverains est soit un mythe soit du fascisme. La vie économique ne peut se développer sur une échelle permettant de fournir du travail et des marchandises pour tous que dans un ordre mondial où la menace permanente de guerre entre États-nations souverains est éliminée et où le mobile tendant à renforcer les États-nations par suite de la menace constante d'être attaqué et détruit est remplacé par la sécurité que seul peut donner un ordre légal.

Que cela heurte ou non les dogmes que nous sont les plus chers, nous devons comprendre que dans notre monde industrialisé, la plus grande menace pour la liberté indivi-duelle est la puissance toujours accrue du super-État national. Les droits de l'individu et la liberté humaine, acquis si chèrement à la fin du XVIIIe siècle par le renverse-ment de l'absolutisme personnel, sont en train d'être perdus au profit du nouveau tyran, l'État-nation.

L'affirmation que les nombreuses différences qui exis-tent dans la race humaine empêchent la création d'une loi et d'un ordre universels est en contradiction flagrante avec les faits et avec les réalités d'autrefois et d'aujourd'hui.

Les Polonais et les Russes, les Hongrois et les Rou-mains, les Serbes et les Bulgares se sont détestés et se sont méfiés les uns des autres et se sont battus les uns contre les autres en Europe durant des siècles. Mais ces mêmes Polo-nais et Russes, Hongrois et Bulgares, après avoir quitté leurs pays et s'être établis aux États-Unis, cessent de combattre et sont parfaitement capables de vivre et de travailler côte à côte sans se faire la guerre.

Pourquoi en est-il ainsi? Le changement d'un seul facteur a produit le miracle.

En Europe, le pouvoir souverain est investi dans ces nationalités et dans leurs États-nations. Aux États-Unis, le pouvoir souverain, au lieu de résider dans l'une quelconque de ces nationalités, s'élève au-dessus d'elles dans l'Union au sein de laquelle les individus, quelles que soient leurs diffé-rences, sont égaux devant la loi.

Les Allemands et les Français se sont détestés et se sont méfiés les uns les autres et, pendant des siècles, ils se sont fait la guerre. Et cependant en Suisse, située entre les États-nations adversaires que sont la France et l'Allemagne, vivent environ un million de Français, aussi Français que n'importe qui dans la République française, et près de trois millions d'Allemands, qui ont vécu côte à côte pacifiquement pendant de longs siècles. Les différences nationales, raciales, religieuses, culturelles et mentales sont exactement les mêmes que celles qui existent entre leurs semblables des États voisins qui se détruisent périodiquement dans leur pays natal. Une seule différence existe.

Le peuple français en France et le peuple allemand en Allemagne vivent dans des États-nations souverains où la souveraineté est investie respectivement dans la nation française et dans la nation allemande. En Suisse, la souveraineté n'est investie ni dans la nationalité française ni dans la nationalité allemande, mais dans l'union des deux.

Il est donc clair comme le jour que les frictions, les conflits et les guerres entre les peuples ne sont pas causés par leurs différences nationales, raciales, religieuses, sociales et culturelles, mais par le *seul fait* que ces différences s'exacerbent dans des souverainetés séparées qui n'ont aucun moyen de régler les conflits résultant de leurs différences, sinon la violence.

La logique et l'expérience du passé s'accordent à nous faire dire qu'*il existe une façon* de prévenir la guerre entre nations une fois pour toutes. Mais elles nous révèlent tout aussi clairement qu'*il n'y a qu'une seule façon* pour y arriver : l'intégration des souverainetés nationales séparées et guerrières en une souveraineté supérieure unifiée, cette dernière ayant seule le pouvoir de créer un ordre légal au sein duquel tous les peuples peuvent jouir d'une sécurité égale, d'obligations égales et de droits égaux devant la loi.

Cet appendice est tiré du livre *Anatomie de la paix,* de Emery Reves, publié aux Éditions Tallandier, en 1946.

Appendice 4

PÉTITION
à faire circuler

Voici un geste concret que l'on peut poser dès maintenant en vue de faire respecter notre droit fondamental en tant qu'être humain : **faire circuler la pétition reproduite à la page suivante.**

On peut en faire des photocopies recto verso et demander à tous ceux que l'on rencontre de la signer. On peut se donner comme but, par exemple, de remplir une page par jour...

Visons haut. Ce que nous voulons obtenir est l'une des plus belles réalisations que l'on puisse imaginer : *la préservation de la vie sur terre.* Visons à recueillir des millions de signatures partout dans le monde.

Il est important de faire vite. Si cette pétition se propage à la vitesse des chaînes de lettres, nous pourrions avoir une quantité énorme de signatures en quelques mois. Lorsque les feuilles sont complétées, on peut les poster à M. Javier Perez de Cuellar, Secrétaire général, Organisation des Nations Unies, New York, NY 10017-0000 et lui demander de faire connaître aux gouvernements de tous les pays le profond désir de leur peuple de vivre dans un système mondial garantissant la paix. On peut aussi faire un don à l'Organisation des Nations Unies afin de la soutenir dans son travail pour l'humanité.

Notre vie prend ainsi un sens face à la plus grande crise qu'ait jamais vécue l'humanité.

PÉTITION
Mon droit fondamental en tant qu'être humain
**J'ai le droit de vivre dans un monde de Paix
exempt de tout danger de mort
provoquée par une guerre nucléaire.**

**Je soutiens totalement l'Organisation des Nations Unies
pour toute action en faveur de la Paix.**

LE BUT :
DES MILLIONS DE SIGNATURES LE PLUS TÔT POSSIBLE

Nom	Pays

Lorsque complété, retournez à M. Javier Perez de Cuellar, Secrétaire général, Organisation des Nations Unies, New York, NY 10017-0000.

Plaidons pour la Paix
et l'Avenir de l'Humanité

«J'aime à croire qu'à long terme, les individus vont faire plus pour promouvoir la paix que ne le feront les gouvernements. A vrai dire, je pense que les gens désirent tellement la paix qu'un jour les gouvernements se verront obligés de leur laisser le champ libre pour leur permettre de la réaliser eux-mêmes.» 1959

Dwight D. Eisenhower,
Président des États-Unis.

Nous cherchons à renforcer l'Organisation des Nations Unies, à l'aider à résoudre ses problèmes financiers, afin qu'elle puisse devenir un instrument plus efficace pour la paix, et qu'elle puisse se développer en un authentique système de sécurité pour le monde... capable de résoudre les conflits à partir de la loi, d'assurer la sécurité des grands et des petits, et de créer des conditions dans lesquelles l'armement pourra finalement être aboli... Ceci va demander un nouvel effort pour finalement arriver à un système de loi mondial.

John F. Kennedy
Président des États-Unis

Si vous croyez que l'espèce humaine ne doit pas être éliminée de cette planète et voulez que ses cinq milliards d'habitants y vivent dans une paix durable, ajoutez votre nom.

Vous pouvez faire une différence en copiant cette pétition et en la faisant circuler le plus largement possible. Lorsqu'elle sera complétée, retournez-la à M. Javier Perez de Cuellar, Secrétaire général, Organisation des Nations Unies, New York, NY 10017-0000. Demandez-lui de faire savoir à tous les gouvernements à quel point tous les peuples de la terre désirent la paix.

Pour de plus amples informations,
vous pouvez vous adresser à :
Les Éditions Universelles du Verseau
C.P. 1074, Knowlton, Qc, J0E 1V0.
Tél : (514) 243-0090

PÉTITION
Mon droit fondamental en tant qu'être humain
J'ai le droit de vivre dans un monde de Paix
exempt de tout danger de mort
provoquée par une guerre nucléaire.

Je soutiens totalement l'Organisation des Nations Unies
pour toute action en faveur de la Paix.

LE BUT :
DES MILLIONS DE SIGNATURES LE PLUS TÔT POSSIBLE

Nom	Pays

Lorsque complété, retournez à M. Javier Perez de Cuellar, Secrétaire général, Organisation des Nations Unies, New York, NY 10017-0000.

Plaidons pour la Paix
et l'Avenir de l'Humanité

«J'aime à croire qu'à long terme, les individus vont faire plus pour promouvoir la paix que ne le feront les gouvernements. A vrai dire, je pense que les gens désirent tellement la paix qu'un jour les gouvernements se verront obligés de leur laisser le champ libre pour leur permettre de la réaliser eux-mêmes.» 1959

Dwight D. Eisenhower,
Président des États-Unis.

Nous cherchons à renforcer l'Organisation des Nations Unies, à l'aider à résoudre ses problèmes financiers, afin qu'elle puisse devenir un instrument plus efficace pour la paix, et qu'elle puisse se développer en un authentique système de sécurité pour le monde... capable de résoudre les conflits à partir de la loi, d'assurer la sécurité des grands et des petits, et de créer des conditions dans lesquelles l'armement pourra finalement être aboli... Ceci va demander un nouvel effort pour finalement arriver à un système de loi mondial.

John F. Kennedy
Président des États-Unis

Si vous croyez que l'espèce humaine ne doit pas être éliminée de cette planète et voulez que ses cinq milliards d'habitants y vivent dans une paix durable, ajoutez votre nom.

Vous pouvez faire une différence en copiant cette pétition et en la faisant circuler le plus largement possible. Lorsqu'elle sera complétée, retournez-la à M. Javier Perez de Cuellar, Secrétaire général, Organisation des Nations Unies, New York, NY 10017-0000. Demandez-lui de faire savoir à tous les gouvernements à quel point tous les peuples de la terre désirent la paix.

Pour de plus amples informations,
vous pouvez vous adresser à :
Les Éditions Universelles du Verseau
C.P. 1074, Knowlton, Qc, J0E 1V0.
Tél : (514) 243-0090

le défi
de l'humanité

Annie Marquier-Dumont

Plus personne ne peut ignorer la menace nucléaire permanente sous laquelle nous vivons quotidiennement ainsi que la situation critique dans laquelle se trouve notre planète au niveau écologique. La plupart du temps, l'énoncé de ces réalités concrètes de notre monde actuel suscite soit la haine et la colère, ou bien la peur et un terrible sentiment d'impuissance caché souvent sous une apparence d'indifférence, de cynisme si ce n'est d'inconscience.

Il existe pourtant un moyen pour inverser complètement le processus de destruction planétaire dans lequel nous sommes engagés. Non, nous ne sommes pas impuissants devant cette situation. **Le Défi de l'Humanité** nous présente la situation mondiale actuelle non pas comme une menace mais comme un défi à relever. Il propose une vision large et des moyens originaux et concrets basés sur la transformation intérieure de la conscience individuelle pour arriver à **la manifestation d'une nouvelle conscience planétaire.**

Le message d'éveil, de responsabilité, et l'approche adoptée dans ce livre redonnent à tout être humain espoir et confiance dans un avenir meilleur ainsi que **les moyens et le pouvoir d'y contribuer consciemment maintenant.**

Un message universel et concret non seulement d'espoir, mais aussi de pouvoir pour tous.

Disponible aux Éditions Universelles du Verseau
Diffusion pour la France : Arista, 24580 Plazac-Rouffignac

CASSETTES DE RELAXATION ET DE VISUALISATION ET CONFÉRENCES

Collection Transformation :

Les relaxations guidées par Annie Marquier-Dumont, sur fond de musique de Stephen Halpern, sont un outil efficace pour faciliter la détente et l'harmonisation du corps et de l'esprit. Les visualisations guidées, également sur fond musical, permettent d'utiliser consciemment le pouvoir créateur de notre mental.

Cassette RV1   A. Détente et relaxation guidée.
B. Visualisation guidée «Arc et but». Pour favoriser la réalisation concrète de vos buts.

Cassette RV2   A. Détente et méditation guidée avec affirmations positives sur le corps.
B. Visualisation guidée «Le Bateau». Pour développer le sens de la maîtrise de sa vie.

Cassette RV3   A. Visualisation guidée «Le Sage du Corps». Pour contacter la sagesse de notre corps.
B. Visualisation guidée «Le Soleil». Pour énergiser et harmoniser tout son être.

Cassette RV4   A. Visualisation guidée «Emotions positives et ressourcement». Pour se ressourcer dans un monde intérieur de douceur et d'harmonie.
B. Visualisation guidée «Guérison de la planète». Pour aider à construire une énergie positive de réharmonisation sur toute la planète.

Cassette C1   «Lumière vers notre avenir, le défi de l'humanité». Cette cassette reprend l'essentiel de l'exposé présenté dans le livre *Le Défi de l'Humanité*.

Cassette C2   «La Voie du Guerrier Spirituel». Les douze qualités de la manifestation de la transformation.

Cassette C3   «PlanetHood». Conférence d'Annie Marquier-Dumont présentant les points essentiels du livre PlanetHood.

Disponibles aux Éditions Universelles du Verseau

AUX ÉDITIONS UNIVERSELLES DU VERSEAU

manuel pour une conscience supérieure

Ken Keyes, Jr.

Un éveil de la conscience se manifeste partout maintenant sur la planète. La paix intérieure, le bonheur, l'harmonie, l'amour inconditionnel sont des états d'être parfaitement réalisables si nous faisons les prises de conscience nécessaires. Ce livre, écrit par Ken Keyes, coauteur de *Planethood* et dont la traduction a été également assurée par Annie Marquier-Dumont, est un outil précieux et efficace pour effectuer un travail concret et réel sur soi-même. Les méthodes présentées sont des moyens intelligents, dynamiques et clairs d'atteindre une vie heureuse remplie de paix, d'amour et de sérénité quelles que soient les circonstances extérieures.

Ce livre invite à la réalisation d'une conscience supérieure dans notre quotidien et nous donne une clé pour la maîtrise de notre vie et finalement de notre bonheur.

Disponible aux Éditions Universelles du Verseau

Diffusion pour la France : CHIRON Diffusion, 40 rue de Seine 75006 Paris

A PARAITRE PROCHAINEMENT
AUX ÉDITIONS UNIVERSELLES DU VERSEAU

nouvelle genèse

Vers une spiritualité globale
Robert Muller

Robert Muller, sous-secrétaire général de l'ONU pendant trente ans, nous offre dans ce livre intense et profondément inspirant, une vision du monde à la fois spirituelle et concrète, basée sur une foi profonde en l'être humain et un sens aigu des réalités sociales, économiques et politiques de notre temps. A l'aube de cette ère nouvelle que nous vivons actuellement, ce message nous apporte de façon réaliste et profonde à la fois, l'espoir et la certitude dont nous avons besoin pour construire un monde meilleur.

Bientôt disponible aux Éditions Universelles du Verseau
Déjà paru aux États-Unis, en France, en Allemagne, en Pologne et au Japon.

LES MESSAGES DE L'UNIVERS

Les Messages de l'Univers

Paquet de 52 cartes présentant chacune une pensée-clé que l'on peut utiliser en différentes occasions pour s'harmoniser avec les dimensions plus subtiles de notre être; par exemple on peut tirer une carte le matin pour orienter notre journée ou pour obtenir un contexte de pensée éclairant une question qui nous préoccupe à un moment donné.

Les dimensions spéciales de ces cartes en font un fort réservoir d'énergie.

Nous créons notre propre univers à partir de notre état intérieur et de nos pensées et ces cartes sont un outil intéressant qui peut nous aider à être plus en contact avec nous-mêmes et ainsi créer encore plus consciemment un univers de paix, d'amour et d'abondance en nous et autour de nous.

Disponibles aux Éditions Universelles du Verseau